Das kleine Bachbuch

© 1971 by Residenz Verlag Salzburg
Alle Rechte, insbesondere das der fotomechanischen
Wiedergabe, vorbehalten · Graphische Gestaltung Walter Pichler
Gesamtherstellung Druckhaus R. Kiesel · Printed in Austria

ISBN 3-7017-0008-7

Werner Neumann

Das kleine
BACHBUCH

Residenz Verlag

INHALT

Meiner Frau Elisabeth zugeeignet

Vorbetrachtung

Daß Johann Sebastian Bach zu den überragenden Gestalten der Musikgeschichte zählt, ist der Nachwelt erst spät zum Bewußtsein gekommen. Zwar trifft die romantische Legende vom verkannten Genie auf ihn keineswegs zu, denn Freunde, Schüler und fachkundige Zeitgenossen hatten sich begeistert zu ihm bekannt und ihn als „berühmten Capellmeister", „starken Organisten" und „Fürsten aller Clavierspieler" gefeiert. Von seiner virtuosen Spielkunst beeindruckt, hatten ihn vermögende Gönner mit Geschenken und Gelegenheitspoeten mit Huldigungsgedichten bedacht. Aber dieser Ruhm, der im wesentlichen dem ausübenden Künstler und weniger dem werkschaffenden Komponisten galt, war auf die eigentliche Lebenszeit Bachs beschränkt geblieben. So war bald nach seinem Tod in der breiten Öffentlichkeit die Erinnerung an sein Leben und Schaffen, nicht zuletzt durch einen schroffen Stilwandel im europäischen Musikleben, nahezu gänzlich erloschen. Seine Grabstätte war rasch in Vergessenheit geraten, sein Werkbesitz durch Erbteilung weit verstreut worden, seine Witwe Anna Magdalena hatte ihr Leben als „Almosenfrau" beschließen müssen, die praktische Pflege seiner Kompositionen war auf ein Mindestmaß abgesunken, und den hundertsten Geburtstag hatte die Musikwelt unbeachtet vorübergehen lassen. Nur im engen Kreis der alten Schüler und Freunde war die Erinnerung an diesen ungewöhnlichen Menschen und Künstler lebendig geblieben.

So bedurfte es einer umfassenden Wiedererweckungsbewegung, um die wertvolle Hinterlassenschaft an musikalischen Gipfelwerken in das Bewußtsein der Öffentlichkeit zurückzurufen.

In zunehmender Deutlichkeit zeichnete sich seit der Jahrhundertwende eine Bachrenaissance ab, als deren geistiger Vater der Göttinger Universitätsmusikdirektor Johann Nikolaus Forkel gelten kann. Die von ihm verfaßte und in einem Leipziger Verlag 1802 erschienene erste Bachbiographie gab mit ihrer leidenschaftlichen Proklamation, Bachs musikalisches Werk sei ein „unschätzbares National-Erbgut, dem kein anderes Volk etwas ähnliches entgegensetzen kann", das eigentliche Signal für die Wiederbesinnung auf Bachs vergessene Werke. In Leipziger und einigen ausländischen Musikverlagen regte sich das Interesse an der praktischen Ausgabe solcher Werke, so daß sich Bachs Musik allmählich in der Hausmusik und öffentlichen Konzertpraxis wieder einzubürgern begann. Für die kühnen Pläne einiger Verlage, eine Gesamtausgabe der Werke betreffend, erwies sich die Zeit allerdings als noch nicht reif, so daß es vorerst bei Teilveröffentlichungsreihen blieb.

Der dringliche Aufruf des Leipziger Musikschriftstellers Johann Friedrich Rochlitz zur Unterstützung einer noch lebenden und notleidenden Tochter Bachs hatte inzwischen das allgemeine Interesse auch auf die Bachsche Familiengeschichte gelenkt, so daß Beethoven mit seiner sofortigen Zusage ein schönes Zeichen für die überall wachsende Bachverehrung geben konnte. Den entscheidenden Durchbruch erzielte aber erst der junge Felix Mendelssohn Bartholdy, als er am 11. März 1829 mit der Berliner Singakademie das Wunderwerk der Bachschen Matthäuspassion vor den zutiefst bewegten Zeitgenossen wiedererstehen ließ und damit in Berlin ein wahres „Bachfieber" auslöste.

Mit den Worten „Es ist mir, als wenn ich von ferne das Meer brausen hörte", hatte der greise Goethe in Weimar die Kunde Zelters von dieser Wiedererweckung entgegengenommen, die wie ein Naturereignis in die Kunstwelt des 19. Jahrhunderts einbrach und zu einer lang anhaltenden Bachbegeisterung führte. Mit weiteren Aufführungen in Frankfurt, Breslau, Stettin, Königsberg, Kassel, Dresden, Halle trat die Matthäuspassion dann ihren Siegeszug durch Deutschland an und eroberte sich schließlich auch in vielen Orten des Auslandes die Herzen der Menschen. Leipzig wurde zu einem Stützpunkt der jungen Bachbewegung durch das Wirken des neuen Gewandhauskapellmeisters Felix Mendelssohn Bartholdy, der seit 1835 erste Bachkonzerte veranstaltete und der Stadt das erste Bachdenkmal stiftete. Eine dauerhafte Grundlage erhielt die Bachrenaissance aber erst durch die 1850 in Leipzig gegründete Bachgesellschaft, die als ihr Hauptziel die Schaffung einer wissenschaftlichen Gesamtausgabe der Werke Bachs festlegte und dieses Ziel auch in fünfzigjähriger aufopferungsvoller Editionsarbeit erreichte. Zum erstenmal lag nunmehr das Gesamtwerk Bachs vor der staunenden Musikwelt griffbereit da und bewirkte eine Umwälzung des ganzen Musikdenkens und der Musikpraxis, wie sie die Musikgeschichte in diesem Ausmaß nie wieder erlebt hat. Daneben durchleuchtete die Forschung die Bachsche Lebens- und Werkgeschichte und legte mit Philipp Spittas Bachbiographie ein Monumentalwerk vor, das als Repertorium des Bachwissens auf Jahrzehnte seine Gültigkeit behielt und für zahlreiche Spezialforschungen den sicheren Ausgangspunkt bildete.

Eine neue Periode der Bachpflege begann, als im Jahre 1900 in Leipzig die Neue Bachgesellschaft als Nachfolgerin der „Alten" Bachgesellschaft mit der Zielsetzung gegründet wurde, Bachs Gesamtwerk nunmehr systematisch zu erschließen und seine Pflege durch wandernde Bachfeste, praktische Werkausgaben und wissenschaftliche Spezialstudien in der ganzen Welt zu beleben. Mit dem Wirken Karl Straubes und Günther Ramins im Leipziger Thomaskantorat, und vorher jeweils im Thomasorganistenamt, wurde die Stadt Leipzig mit ihren traditionsreichen Klangkörpern des Thomanerchores und Gewandhausorchesters zu einer Hochburg der Bachmusikpflege, die durch Konzertreisen weithin auszustrahlen vermochte. So entstanden an vielen Orten des In- und Auslandes neue Stützpunkte zur Verbreitung des Bachschen Instrumental- und Vokalwerkes.

Nach dem Zweiten Weltkrieg haben die Gründung eines zentralen Bach-Archivs als Sammel- und Forschungsstätte, die Einrichtung Internationaler Bachfeste und die Stiftung eines Internationalen Bachwettbewerbs, der auch auf Schüler- und Jugendebene durchgeführt wird, geholfen, den Ruf der Bachstadt Leipzig als zentraler Bewahrungsstätte dieses Erbes zu festigen.

Inzwischen ist auch die Bach-Edition in ein neues Stadium getreten, indem sie das Großunternehmen einer neuen kritischen Gesamtausgabe in Angriff genommen hat. Unter Mitarbeit führender Bachforscher aus vielen Ländern wird diese Ausgabe mittels exakter Quellenbefragung, textkritischer Revision und Überprüfung des Werkbestandes nunmehr Bachs Gesamtwerk in einer authentischen, aber modernen Gestalt der Praxis und Wissenschaft zur Auswertung bereitstellen. Rundfunk und Schallplatte tun das Ihre zu seiner weltweiten Verbreitung. Das musikalische Erbe des großen Thomaskantors ist zu einer belebenden Kraft in der Musikpflege geworden.

Kinderjahre und Lehrzeit

Die am Westrand des grünen Thüringerlandes gelegene Wartburg- und Lutherstadt Eisenach ist kurioserweise nur durch den Starrsinn ihrer Stadtväter zu der Ehre gelangt, Geburtsort des größten deutschen Musikers zu werden. Denn im Jahre 1684 hatten sie ihrem tüchtigen und beliebten Stadt- und Hofmusicus Johann Ambrosius Bach nach zwölfjähriger treuer Dienstzeit verweigert, in die günstigeren Berufsverhältnisse seiner Vaterstadt Erfurt hinüberzuwechseln, wo auch seine Frau Elisabeth geborene Lämmerhirt beheimatet war. So kam das achte Kind der glücklichen Ehe im folgenden Jahre am Tag des Frühlingsanfangs nicht im Zentrum Thüringens, sondern am Fuße der Wartburg zur Welt und wurde zwei Tage darauf in der Georgenkirche auf die Namen Johann Sebastian getauft. Freilich ist das stattliche Bürgerhaus am Frauenplan, das von der Überlieferung als „Bachhaus" betrachtet und im Jahre 1906 von der Neuen Bachgesellschaft erworben wurde, wohl nicht das wirkliche Geburtshaus, aber in seiner zeitstilechten Ausgestaltung und bachdokumentarischen Bereicherung ist es eine ungemein stimmungsvolle und vielbesuchte Musikergedenkstätte geworden.

Der Stadtpfeifer-Lehrbetrieb des Vaterhauses brachte den Knaben frühzeitig in Berührung mit dem Musikerhandwerk und vermittelte ihm wohl die ersten Kenntnisse des Violin- und Klavierspiels, während sein Onkel Johann Christoph als angesehener Organist der Georgenkirche ihn später mit der Technik des Orgelspiels vertraut machen konnte. Im Kreise seiner Geschwister, von denen der älteste Bruder ihm vierzehn Jahre voraus war, dürften ihm weitere Anregungen auf musikpraktischem Gebiet zugeflossen sein.

Erhaltene Schülerlisten der alten Lateinschule, die schon Martin Luther zu ihren Zöglingen gezählt hatte, führen ihn als Schüler der Quinta und Quarta auf. Dann traf den Neunjährigen ein harter Schicksalsschlag, der der sorglosen Kinderzeit ein jähes Ende bereitete und seinem jungen Leben eine ganz neue Richtung gab. Im knappen Zeitraum von zehn Monaten starben sowohl die Mutter als auch der inzwischen wiedervermählte Vater, so daß die Familie zur Auflösung verurteilt war. Zum Glück konnte der älteste Bruder Johann Christoph als wohlbestallter Organist der Ohrdrufer Michaeliskirche den sorgebedürftigen Knaben in seinen jungen Hausstand aufnehmen. So gelangte Johann Sebastian aus der Welt des Stadtpfeifers in die des Kirchenmusikers und konnte in der hervorragenden Lehre des Bruders, der Schüler des berühmten Pachelbel gewesen war, sich lerneifrig des neuen Erlebnisbereichs bemächtigen. *„In kurtzer Zeit hatte er alle Stücke, die ihm sein Bruder freywillig zum Lernen aufgegeben hatte, völlig in die Faust gebracht“*, weiß der „Nekrolog“, der erste Lebensabriß aus der Feder des Bachsohnes Carl Philipp Emanuel und des Bachschülers Johann Friedrich Agricola, später glaubhaft zu berichten. Doch offenbar schien dem jungen Feuerkopf die Lehrmethode des älteren Bruders allzu zögernd und dosierend, so daß es zu jener köstlichen Begebenheit kam, die am besten mit den Worten der Nekrologverfasser wiedererzählt wird:

„Ein Buch voll Clavierstücke, von den damaligen berühmtesten Meistern, Frobergern, Kerlen, Pachelbeln aber, welches sein Bruder besaß, wurde ihm, alles Bittens ohngeachtet, wer weis aus was für Ursachen, versaget. Sein Eifer immer weiter zu kommen, gab ihm also folgenden unschuldigen Betrug ein. Das Buch lag

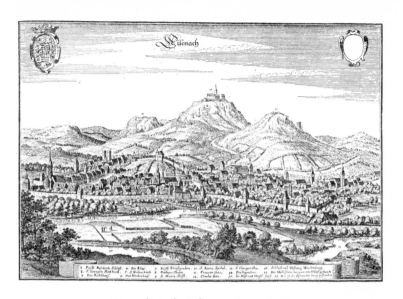

Eisenach, Bachs Geburtsstadt, um 1650

*in einem blos mit Gitterthüren verschlossenen Schrancke. Er holte
es also, weil er mit seinen kleinen Händen durch das Gitter lan-
gen, und das nur in Pappier geheftete Buch im Schrancke zusammen rollen konnte, auf diese Art, des Nachts, wenn ieder-
mann zu Bette war, heraus, und schrieb es, weil er auch nicht
einmal eines Lichtes mächtig war, bey Mondenscheine, ab. Nach
sechs Monaten, war diese musicalische Beute glücklich in seinen
Händen. Er suchte sie sich, insgeheim mit ausnehmender Begierde,
zu Nutzen zu machen, als, zu seinem größten Herzeleide, sein
Bruder dessen inne wurde, und ihm seine mit so vieler Mühe
verfertigte Abschrift, ohne Barmherzigkeit, wegnahm. Ein Gei-
ziger dem ein Schiff, auf dem Wege nach Peru, mit hundert tausend Thalern untergegangen ist, mag uns einen lebhaften Begriff,
von unsers kleinen Johann Sebastians Betrübniß, über diesen
seinen Verlust, geben.“*

Die angesehene Ohrdrufer Lateinschule, die den Reformideen
des bekannten Pädagogen Amos Comenius Einlaß gewährt hatte,
war für den Knaben die bestmögliche Bildungsstätte. In unge-
wöhnlich rascher Zeit erreichte er die Prima, mußte aber dann
vorzeitig die Schule verlassen, als es im Hause des Bruders durch
die anwachsende Kinderzahl zu eng wurde. Im Monat März
des Jahres 1700 machte er sich auf den Weg nach Lüneburg, um
auf Empfehlung seines Ohrdrufer Kantors Elias Herda Singe-
knabe im Mettenchor des berühmten Michaelisklosters zu werden. Mit seinem Schulkameraden Georg Erdmann als Wander-
gefährten erreichte er schließlich das ersehnte Ziel und wurde
*„wegen seiner ungemein schönen Sopranstimme, wohl aufgenom-
men“*, wie der „Nekrolog“ später mitteilt.

In den Chorgeldlisten des Michaelisklosters findet sich der
Name der zwei Thüringer Knaben bereits am 3. April, so daß
sie wahrscheinlich schon an der festlichen Ostermusikaufführung

mitwirken durften. Singend lernte der junge Bach jetzt die wertvollsten Chorwerke der alten Meister, deren polyphonen Linienfluß und harmonische Ausdruckskraft kennen. Vieles von dem hier Erfahrenen wird später voll entfaltet in den fugendurchsetzten und konzertant geweiteten Chorschöpfungen des Thomaskantors wiederkehren.

Als schließlich seine schöne Knabenstimme der Mutation zum Opfer fiel, brauchte er nicht aus dem Musizierbetrieb auszuscheiden, sondern konnte sich dank seiner schon beträchtlichen Fertigkeit im Instrumentalspiel weiterhin bei den kirchlichen Musikaufführungen nützlich machen. Auch seine Liebe zum Orgelspiel konnte sich weiter entfalten; denn in dem Organisten der Johanniskirche traf er einen in der Nähe Ohrdrufs beheimateten Landsmann und Freund der Bachfamilie wieder: Georg Böhm, der als einstiger Schüler des berühmten Jan Adams Reinken ihm nun die Erfahrungen der Hamburger Orgeltradition übermittelte. Einflüsse des Lüneburger Meisters spiegeln sich in Bachs Choralpartiten und anderen frühen Orgelkompositionen deutlich wider. Gewiß war es auch Georg Böhm, der Bach zu seinen wiederholten Reisen in die Orgel- und Organistenstadt Hamburg anregte, die wohl in erster Linie dem bedeutenden und einflußreichen Katharinenorganisten Reinken galten.

Lüneburg bot dem jungen Bach aber auch die Möglichkeit, die hochentwickelte Instrumentalmusik Frankreichs kennen zu lernen. In einer der alten Michaelisschule benachbarten modernen „Ritterakademie", die junge Aristokraten im französischen Lebens- und Bildungsstil erzog, wirkte der französische Tanzmeister Thomas de la Selle, ein Schüler Lullys, der den aufgeschlossenen Knaben mit der Musik seines Landes vertraut machen konnte. Da der Tanzmeister gleichzeitig als Hofmusicus im nahen Celle tätig war, wird er Bach gewiß auch in den dortigen Hofkreis eingeführt haben, wo er Gelegenheit fand, die ausgezeichnete französische Hofkapelle in ihrer eleganten Spielweise und ihrem modernen Musikrepertoire zu bewundern. Aber auch die zeitgenössische Klavier- und Orgelkunst beeindruckte ihn derart, daß er sich zu eigenem Gebrauch Abschriften solcher Kompositionen anfertigte und sich deren Stil aneignete. Die Vorliebe für den „französischen Geschmack" hat ihn bis in sein reifes Instrumentalschaffen hinein begleitet. Daß Bach während seines Aufenthaltes in diesem norddeutschen Musikzentrum neben den traditionsgebundenen auch die fortschrittlichen Kräfte des damaligen Musiklebens nutzen und sich dabei auf dem Gebiet der Instrumentalmusik ebenso wie auf dem der Vokalmusik weiter entwickeln konnte, wie es in den begrenzten Verhältnissen der thüringischen Kleinstädte kaum möglich gewesen wäre, gibt diesem kurzen Lebensabschnitt seine ganz besondere Bedeutung. Und doch zog es Bach wieder in seine thüringische Heimat zurück. Ein Anlaß hierzu fand sich bald.

Das stattliche Bürgerhaus am Frauenplan in Eisenach gilt der Überlieferung nach als „Bachhaus". Im Vordergrund das 1884 geschaffene Bachdenkmal

*Johann Ambrosius Bach, Stadt- und Hofmusicus in Eisenach, der Vater
Johann Sebastians*

Treppenflur im Bachhaus

Zu dem im Bachhaus eingerichteten Museum gehört auch eine reichhaltige Instrumentensammlung

Von 1693 bis 1695 besuchte Bach die Lateinschule des Dominikanerklosters in Eisenach

In Lüneburg fand Bach Aufnahme in den Mettenchor der Michaelisschule

Sein erstes Organistenamt erhielt Bach 1703 an der Neuen Kirche zu Arnstadt

Der erhaltene Spieltisch von Bachs Arnstädter Orgel

Vom Organisten zum Kammermusicus und Konzertmeister

Um jene Zeit erhielt die Neue Kirche in Arnstadt ein neues Orgelwerk, dessen Entstehung Bach von Lüneburg aus mit besonderem Interesse verfolgte. Einmal versprach es unter der kundigen Hand des Mühlhäuser Orgelbauers Johann Friedrich Wender ein gutes Instrument zu werden, und zum anderen schien für den jungen Musiker gerade Arnstadt der günstigste Ort zur Erlangung eines ersten Organistenamtes zu sein. Denn diese traditionsreiche Musikstadt im Herzen Thüringens war seit vier Generationen eine bevorzugte Berufsstätte der Bachfamilie, von der sich der blutjunge Orgelanwärter die nötige Unterstützung bei seinen Bestrebungen erhoffen durfte. Zwar hatte sich das bis in die Reformationszeit zurückreichende Musikergeschlecht der „Bache" allmählich über ganz Thüringen verbreitet und die wichtigsten Musikerposten als Organisten, Kantoren oder Stadtpfeifer in Besitz genommen, so daß es im landläufigen Sprachgebrauch zu einer Gleichsetzung des Familiennamens „Bach" mit der Berufsbezeichnung „Musiker" gekommen war, aber unter den thüringischen Bachzentren, zu denen auch Erfurt, Eisenach, Jena, Ohrdruf, Gehren, Meiningen zählten, war Arnstadt zweifellos eines der bedeutendsten. Noch heute erinnern mehrere mit Gedenktafeln versehene Häuser an das Wirken der „Bache" als Organisten, Stadt- und Hofmusiker, und auf dem alten Friedhof verkündet eine Inschrift, daß 24 Angehörige der Bachfamilie hier ihre letzte Ruhe gefunden haben.

Über den ausgeprägten Familiensinn der großen Bachverwandtschaft hat uns der Bachbiograph Forkel, auf Grund von

Auskünften der beiden ältesten Bachsöhne, folgende lebendige Darstellung gegeben:

„Da sie unmöglich alle an einem einzigen Orte beysammen leben konnten, so wollten sie sich doch wenigstens einmahl im Jahre sehen, und bestimmten einen gewissen Tag, an welchem sie sich sämmtlich an einem dazu gewählten Orte einfinden mußten. Auch dann noch, als die Familie an Zahl ihrer Glieder schon sehr zugenommen, und sich außer Thüringen auch hin und wieder in Ober- und Niedersachsen, so wie in Franken hatte verbreiten müssen, setzte sie ihre jährlichen Zusammenkünfte fort. Der Versammlungsort war gewöhnlich Erfurt, Eisenach oder Arnstadt. Die Art und Weise, wie sie die Zeit während dieser Zusammenkunft hinbrachten, war ganz musikalisch. Da die Gesellschaft aus lauter Cantoren, Organisten und Stadtmusikanten bestand, die sämmtlich mit der Kirche zu thun hatten, und es überhaupt damahls noch eine Gewohnheit war, alle Dinge mit Religion anzufangen, so wurde, wenn sie versammelt waren, zuerst ein Choral angestimmt. Von diesem andächtigen Anfang gingen sie zu Scherzen über, die häufig sehr gegen denselben abstachen. Sie sangen nehmlich nun Volkslieder, theils von possierlichem, theils auch von schlüpfrigem Inhalt zugleich mit einander aus dem Stegreif so, daß zwar die verschiedenen extemporirten Stimmen eine Art von Harmonie ausmachten, die Texte aber in jeder Stimme andern Inhalts waren. Sie nannten diese Art von extemporirter Zusammenstimmung Quodlibet, und konnten nicht nur selbst recht von ganzem Herzen dabey lachen, sondern erregten auch ein eben so herzliches und unwiderstehliches Lachen bey jedem, der sie hörte."

Johann Sebastian hat sich hinsichtlich der Wirksamkeit seiner Arnstädter Familienbeziehungen nicht getäuscht. Zwar zögerte sich die Fertigstellung des Orgelwerkes bis zum Sommer des Jahres 1703 hinaus, so daß er als willkommene Interimsstellung einen Posten als Violinist im kleinen Kammerorchester des Herzogs Johann Ernst von Sachsen-Weimar antreten konnte, aber schon im Juli erreichte ihn der ehrenvolle Auftrag des Arnstädter Rates, die nun fertiggestellte Orgel fachgemäß zu prüfen. Wahrscheinlich hatte Bürgermeister Feldhaus, ein Verwandter Bachs, dem erst Achtzehnjährigen diese frühe Bewährungsprobe ermöglicht. Bach führte die gewünschte Orgelprüfung mit erstaunlicher Sachkenntnis und großer Sorgfalt durch und begeisterte überdies bei der folgenden Orgelweihe die Arnstädter Honoratioren derart durch sein virtuoses Spiel, daß man ihm das dortige Organistenamt ohne Zögern und unter günstigen Honorarbedingungen anbot.

Die am 9. August 1703 ausgefertigte Bestallungsurkunde verpflichtete den neuen Organisten in üblicher Weise zum gottesdienstlichen Orgelspiel, zur Pflege des anvertrauten Orgelwerkes, aber auch zum Lebenswandel in *„Gottesfurcht, Nüchterkeit und Verträglichkeit"*, zur Vermeidung *„böser Gesellschafft"*, zum treulichen Verhalten gegen *„Gott, die Hohe Obrigkeit und vorgesetzten"* und gewährte ihm dafür *„zur Ergetzlichkeit"* 50 Gulden als Jahresbesoldung und 30 Taler für *„Kost und Wohnung"*.

Die Freude über die erste eigene Orgel beflügelte ihn zur Vervollkommnung seiner Spieltechnik und zur Gewinnung eines ausgereiften Kompositionsstils. Daß er hierbei instinktsicher die wertvollsten Werkschöpfungen zeitgenössischer Meister als Spielgut und Vorbild zu nutzen wußte, bestätigt der Nekrolog: *„Hier zeigte er eigentlich die ersten Früchte seines Fleißes in der Kunst des Orgelspielens, und in der Composition, welche er größtentheils nur durch das Betrachten der Wercke der damaligen berühmten und gründlichen Componisten und angewandtes eigenes Nachsinnen erlernet hatte. In der Orgelkunst nahm er sich Bruhn-*

sens, Reinkens, Buxtehudens und einiger guter französischer Organisten ihre Werke zu Mustern."

Um aber den bedeutendsten Orgelmeister der norddeutschen Schule, Dietrich Buxtehude, persönlich in seinem Wirken kennen zu lernen, machte er sich im Oktober 1705 sogar auf den Weg nach dem fernen Lübeck, nachdem ihm das Arnstädter Konsistorium großzügig einen vierwöchigen Urlaub hierfür bewilligt hatte.

Nicht gerechnet aber hatten die Arnstädter Behörden mit der Möglichkeit, daß ihr Organist unter dem Eindruck der großartigen „Abendmusiken" des Lübecker Meisters und der lehrreichen Fachgespräche mit ihm und seinem Musizierkreis den gewährten Urlaub eigenmächtig auf ein Vierteljahr ausdehnte und erst im Februar 1706 auf seine Orgelbank zurückkehrte. Die behördlichen Vorwürfe beantwortete er selbstbewußt mit der Erklärung, er *„hoffe das orgelschlagen würde unterdeßen von deme, welchen er hiezu bestellet, dergestalt seyn versehen worden, daß deßwegen keine Klage geführet werden können".*

Die Auswirkungen der Lübecker Studienreise präsentierten sich den Kirchgängern alsbald in der Klanggestalt kühn ausschweifenden Orgelspiels, das ihm den Vorwurf einbrachte, er habe *„in dem Choral viele wunderliche variationes gemachet, viele frembde Thone mit eingemischet, daß die Gemeinde drüber confundiret worden".* Den meisten Ärger aber bereitete dem Konsistorium die Tatsache, daß der Organist keinerlei Neigung zeigte, mit dem offenbar leistungsschwachen und undisziplinierten Schülerchor regelmäßig zu üben und im Gottesdienst figuraliter zu musizieren. Den wiederholten Bedrängungen wußte Bach durch hinhaltende Erklärungen geschickt auszuweichen, zumal der Anstellungsvertrag ihm für diese unerquickliche Zusatzarbeit keine Verpflichtungen auferlegte.

So entstand ein Spannungsverhältnis, das sich in weiteren Vorladungen verschärfte. Der bei solchem Anlaß erhobene Vorwurf, er habe unlängst eine „fremde Jungfer" auf dem Chor musizieren lassen, ist für uns nicht nur von aufführungspraktischem, sondern auch von familiengeschichtlichem Interesse. Denn diese „fremde Jungfer" war vermutlich Bachs Base Maria Barbara, die jüngste Tochter des angesehenen Gehrener Organisten und Komponisten Johann Michael Bach, mit der er sich am 17. Oktober 1707 in der Dorfkirche zu Dornheim bei Arnstadt durch den befreundeten Pfarrer Lorenz Stauber trauen ließ.

Vorerst galt es aber, den sich anhäufenden Ärgernissen durch Wahl einer günstigeren Wirkungsstätte auszuweichen. Mit der Nachricht vom Tode des Mühlhäuser Organisten Johann Georg Ahle trat am Jahresende 1706 die freie Reichsstadt an der Unstrut plötzlich in den Kreis der Erwägungen und Pläne Bachs. Vermutlich hatte er diese traditionsreiche Musikstadt schon auf seinen Reisen nach Norddeutschland kennen und schätzen gelernt. Hier hatte bereits im 16. Jahrhundert Joachim A. Burck im Schul- und Kirchenmusikbereich beispielgebend und schöpferisch gewirkt und seine Kunsterfahrung seinem Schüler Johannes Eccard weitergereicht, der sich als Meister der geistlichen und weltlichen Liedsatzkunst allgemeine Achtung erwarb. Im 17. Jahrhundert hatte dann der Organist und Komponist Johann Rudolf Ahle das musikalische Gesicht seiner Vaterstadt geprägt, die ihm ihre Dankbarkeit in ungewöhnlicher Weise durch Ernennung zum Ratsherren und Bürgermeister bezeugte. Sein begabter Sohn und Nachfolger im Organistendienst an der Kirche Divi Blasii, Johann Georg Ahle, sah seinen Ruhm als Dichterkomponist sogar durch Krönung mit kaiserlichem Lorbeer bestätigt. So ist es verständlich, daß gerade dieses vakant gewordene Organistenamt dem jungen Bach als erstrebenswertes Berufsziel erschien.

Glücklicherweise besaß Bach durch verwandtschaftliche Beziehungen und berufliche Kontakte auch in Mühlhausen einflußreiche Fürsprecher, so daß es bald zu Vorberatungen und zur Festsetzung des Probespiels auf den Ostersonntag 1707 kommen konnte. Nachdem sich die Ratsherren von der außerordentlichen Orgelspielkunst des Anwärters überzeugt hatten, erfüllten sie willig seine Forderungen, obwohl diese über den Einkünften seiner Vorgänger lagen. Die am 15. Juni unterzeichnete Bestallungsurkunde sicherte ihm eine Jahresbesoldung von 85 Gulden in bar, 3 Malter Korn, 3 Klafter Holz und 6 Schock anzulieferndes Reisig zu und verpflichtete ihn, ähnlich wie der Arnstädter Vertrag, zu Gewissenhaftigkeit und Wohlanständigkeit.

Im Besitze dieses wichtigen Schriftstückes war es dem nunmehr reichsstädtischen Organisten leicht, seine Entlassung in Arnstadt durchzusetzen. Ein Ratsaktenvermerk vom 26. Juni besagt, daß der bisherige Organist der Neukirche seine Berufung nach Mühlhausen gemeldet, seine Dimission unter Dankabstattung erbeten und die Orgelschlüssel zurückgegeben habe. Nunmehr stand der Übersiedlung nach Mühlhausen nichts mehr im Wege.

Freilich bot die stolze Reichsstadt gerade damals keinen einladenden Anblick. Die Folgen einer verheerenden Feuersbrunst, die erst wenige Monate vorher ein Viertel der gesamten Wohnfläche vernichtet und dabei besonders im Bereich der Blasiusgemeinde gewütet hatte, lasteten schwer auf der Stadt. Sie dürften auch dem Blasiusorganisten manche Einschränkung beruflicher und persönlicher Art auferlegt haben, und auch der hohe Hauszins, über den er später klagte, mag durch diese Notlage der Stadt bedingt gewesen sein. Leider wissen wir über seine sonstigen Lebensverhältnisse recht wenig, und auch über seine Wohnung, die ihn nur kurze Zeit allein beherbergte, bis die junge Ehefrau einzog, geben uns die Lokalakten keine Auskunft.

Glückwünschende Kirchen MOTETTO,

als

bey solennen Gottesdienste/ in der Haupt-Kirchen B. M. V.
der gesegnete Raths-Wechsel/
am 4. Februarii dieses M. D. C. C. VIII. Jahres geschach/

und die Regierung

der Käyserl. Freyen-Reichs-Stadt
MÜHLHAUSEN/
der Väterlichen Sorgfalt des Neuen-Rahts/
nemlich/

Des HochEdlen/ Vesten/ Hochgelahrten
und Hochweisen Herrn/

Herrn Adolff Streckers/

und

des Edlen/ Vesten/ und Hochweisen Herrn

Hn. Georg Adam Steinbachs/

beyderseits Hochverdienten

Herrn Bürgermeistern/

wie auch

derer übrigen Hoch- und Wohl-ansehnlichen

Mitgliedern/

freudig überreichet wurde/
schuldigst erstattet/
durch

Johann Sebastian Bachen/
Organ. Div. Blasii.

Mühlhausen/
druckts Tobias David Brückner/ E. HochEdl. Rahts Buchdr.

Titelblatt des Originaltextdruckes der Mühlhäuser Ratswechselkantate 1708

Dagegen erfahren wir aus einer eigenhändigen Eingabe, daß Bach seinen musikalischen Wirkungskreis weit über die vertraglich festgelegten Pflichten hinaus ausdehnte, indem er eine Hebung der gesamten Kirchenmusikpflege ins Auge faßte, eine umfangreiche Sammlung auserlesener Kirchenstücke als Musizierrepertoire anlegte, *„eine regulirte kirchen music zu Gottes Ehren"* anstrebte und sich außerdem um die Musikverhältnisse der umliegenden Dorfschaften kümmerte. Die Früchte seiner planvollen Bemühungen um Leistungssteigerung der örtlichen Klangkörper zeigten sich bei dem festlichen Anlaß des Ratswechsels im Februar 1708. Die von ihm für diesen Zweck geschaffene und in der weiträumigen Marienkirche aufgeführte Kantate „Gott ist mein König" übertrifft an Klangpracht alle bis dahin in Mühlhausen erklungenen Ratswechselmusiken. Mit ihrem deutlich viergegliederten Instrumentalapparat, ihrem lebendigen Wechsel von Solo- und Chorepisoden, ihren ausdrucksvollen Ariososätzen zwischen strengen Chorfugen ist sie ein erster Markstein auf dem Wege zu den großen Kantatenschöpfungen der Weimarer und Leipziger Zeit. In einer Schönschriftpartitur „von entzückender Zierlichkeit und Anmuth" (Spitta) ist uns dieses denkwürdige Frühwerk überliefert. Da sich der Mühlhäuser Rat außerdem zur Drucklegung des Aufführungsmaterials entschloß, erwarb er sich das historische Verdienst, die einzige aller erhaltenen Bachkantaten in einer Druckausgabe den Zeitgenossen zugänglich gemacht zu haben.

Durch seinen Erfolg ermutigt, beantragte Bach eine umfassende Erneuerung der Blasiusorgel und legte eine ausführliche Disposition vor, die ihn als gründlichen Kenner der deutschen Orgelbautechnik erweist. Nachdem der Rat den Entwurf gebilligt und die Kosten bereitgestellt hatte, wurde die Ausführung dem schon beim Arnstädter Orgelbau bewährten Meister Wender übertra-

Partiturseite aus dem Hochzeitsquodlibet 1707

gen, während man Bach um die Oberaufsicht ersuchte. Wenn auch Bach die Stadt längst verlassen hatte, als das Orgelwerk endlich seiner Bestimmung übergeben werden konnte, so durfte er es doch auf ausdrückliche Bitte der Stadtväter noch als Gast einweihen. Das klanglich reizvolle Instrument diente der Blasiusgemeinde bis zum Jahre 1821 und wurde dann durch einen belanglosen Neubau ersetzt. Erst in unserer Zeit hat man den Bachschen Entwurf von 1708 zu klingendem Leben wiedererweckt, indem man die Erneuerung der Blasiusorgel im Jahre 1959 exakt auf Bachs Angaben gründete und damit eine wirklich authentische Bachorgel unserem Musikleben wiedergewann. Für Bachs frühzeitigen Weggang aus Mühlhausen findet man in seinem Entlassungsgesuch vom 25. Juni 1708 einige Gründe angedeutet. Er klagt über das „notdürftige Leben", die Nichterreichung seines musikalischen „Endzwecks" und gewisse, sein Kunstschaffen behindernde „Widrigkeiten". Während der „Endzweck" wohl auf regelmäßige Kantatenaufführungen zielte, darf man die „Widrigkeiten" wahrscheinlich auf den fanatischen Kanzelstreit beziehen, der zwischen Orthodoxen und Pietisten gerade in jenen Jahren tobte und die Stadt Mühlhausen, ähnlich wie schon zur Zeit Thomas Münzers, zum zentralen Kampfplatz theologischer Auseinandersetzungen werden ließ. Daß sich Bach als Musiker außerhalb solcher innerkirchlicher Auseinandersetzungen zu halten bemühte, darf man mit Sicherheit annehmen. Aber der unglückliche Zufall, daß gerade Bachs unmittelbarer Vorgesetzter an Divi Blasii, der Superintendent Johann Adolph Frohne, Vertreter der kirchenmusikfeindlichen pietistischen Richtung war, während der dienstfernere Pastor an St. Marien, Georg Christian Eilmar, als orthodoxer Geistlicher der Kirchenmusik im Sinne Martin Luthers ein freies Betätigungsfeld einzuräumen geneigt war, führte zu beruflichen Konflikten, die dem schöpferischen Wirken Bachs nicht förderlich gewesen sein können. Schon allein die Tatsache, daß Eilmar bei Bachs Kantatenkomposition nachweislich Texthilfe leistete und auch in Patenschaftsbeziehung zur Bachfamilie trat, beleuchtet die paradoxe Situation der Mühlhäuser Amtsjahre. So ist es kein Wunder, daß Bach aus dieser unerquicklichen Lage, die auch der ihm wohlgesinnte Rat nicht zu mildern verstand, kurzerhand die Konsequenzen zog und den Stadtvätern sein wohldurchdachtes und in verbindliche Worte gefaßtes Abschiedsgesuch präsentierte, das in der Ratssitzung vom 26. Juni 1708 mit der resignierenden Bemerkung entgegengenommen wurde: „Weil er nicht aufzuhalten, müsse man wohl in seine Dimission consentiren."

Es war kein Abschied in Feindschaft. Der junge, tatenfrohe Musiker wird sich trotz der kurzen Dienstzeit die Sympathie vieler Bürger und mancher Amtspersonen erworben haben, so daß man ihn mit stillem Bedauern weiterziehen sah. Freundschaftliche Beziehungen blieben erhalten, so besonders zu der Familie des Pastors Eilmar, und da der Rat sogar gebeten hatte, die Orgelbauarbeiten weiter zu beaufsichtigen, ist Bach in der Folgezeit möglicherweise mehrmals an seine alte Wirkungsstätte zurückgekehrt. Bestimmt aber am 7. Februar 1709, denn an diesem Tag sind in den Ratsakten für *„Herrn Baachen von Weimar"* 4 Taler für Verfertigung des *„Rathsstükkes"* und 2 Taler für Reisekosten verbucht. Da auch die Herstellungskosten für den Kantatendruck aufgeführt werden, ist es sicher, daß Bach auch für diese Ratswechselfeier auf ausdrücklichen Wunsch die Festkantate geschaffen hat, für die der Rat wiederum die Drucklegung veranlaßte. Leider ist uns dieses Werk, das im künstlerischen Niveau der Vorjahrskantate kaum nachgestanden haben kann, weder musikalisch noch textlich erhalten.

Mit guten Gründen nimmt man weiterhin an, daß Bach auch

am Reformationsfest 1709 in Mühlhausen geweilt hat, um das fertige Orgelwerk durch sein Spiel einzuweihen. Noch 26 Jahre danach konnte Bach unter Beziehung auf die „alte Faveur" dem Mühlhäuser Rat seinen Sohn Johann Gottfried Bernhard als Organisten der Marienkirche erfolgreich empfehlen und sich während des Probespielaufenthalts durch nützliche Ratschläge beim Orgelbau neue Gunst erwerben. Natürlich hatte Bach schon vor der Kündigung seines Mühlhäuser Amtes die nächste Station seines Berufsweges festgelegt. Seine Schritte ins Ungewisse zu lenken, war nicht seine Art. Bei einer Erkundungsreise in die Residenzstadt Weimar, mit deren Musikverhältnissen er von seiner früheren Anstellungszeit her bereits etwas vertraut war, hatte er die Hofgesellschaft durch sein glänzendes Spiel in Erstaunen gesetzt und sogleich *„zu dero Hoffcapell und Cammermusic das entree gnädigst erhalten"*, wie er in seinem Entlassungsgesuch den Mühlhäuser Stadtvätern berichtet.

Nun kehrte er freudigen Herzens an seinen ehemaligen Wirkungsort zurück. Wenn sein damaliger Dienstherr, Herzog Johann Ernst, auch inzwischen verstorben war, so fand er doch noch dessen zwei musikbegeisterte Söhne vor, deren Begabung er in musikpraktischer und kompositorischer Richtung gefördert hatte. Doch jetzt erwarteten ihn als nunmehrigen Kammermusicus und Hoforganisten des regierenden Herzogs Wilhelm Ernst weit bedeutendere Aufgaben als vor fünf Jahren. Dementsprechend lag sein Einkommen, das sich im Laufe der Weimarer Dienstjahre dann noch beträchtlich erhöhte, wesentlich über den Bezügen aller vorhergehenden Dienstleistungen.

Der sechsundvierzigjährige Herzog galt als ein frommer, ernster, sittenstrenger Mensch, der trotz der puritanisch geregelten Lebensweise am Hofe der Entfaltung von Kunst und Wissenschaft genügend Raum gewährte. Seine Fördermaßnahmen im

Bereiche der Kultur und Volksbildung haben den Boden für die Hochblüte der Goethe-Schiller-Zeit mit bereiten helfen.

Er hatte es verstanden, eine Reihe hochgebildeter und kunstverständiger Persönlichkeiten in seine Residenz zu ziehen, so daß Bach in ein Milieu trat, das ihm Anregungen auf vielen Gebieten menschlicher und fachlicher Bildung zu geben vermochte. So wurden die neun Weimarer Jahre die Periode seines intensivsten Wachstums zur gereiften Künstlerpersönlichkeit. Ein besonders glücklicher Umstand war es, daß als Stadtkirchenorganist sein gleichaltriger Großvetter Johann Gottfried Walther wirkte, mit dem er alsbald in einen kunstpraktischen Erfahrungsaustausch trat. Wenige Jahre später finden die freundschaftlichen Familienbeziehungen beredten Ausdruck in Bachs Übernahme einer Patenschaft bei Walthers ältestem Sohne gleichen Namens. Selbst ein tüchtiger Komponist, der besonders durch seine gediegenen Orgelchoralbearbeitungen einen Ehrenplatz im Musikschaffen seiner Zeit einnimmt, hat Walther durch rastlose Sammeltätigkeit einen großen Schatz wertvoller Werkschöpfungen älterer und zeitgenössischer Kollegen zusammengetragen und uns damit auch zahlreiche Werke Bachs originalgetreu überliefert. In seinem 1732 erschienenen hochbedeutenden „Musicalischen Lexicon" hat er seinem „Vetter und Gevatter" ein erstes biographisches Denkmal durch einen knappen Artikel gesetzt, der mit dem interessanten Hinweis schließt: *„Die Bachische Familie soll aus Ungern herstammen, und alle, die diesen Nahmen geführet haben, sollen so viel man weiß, der Music zugethan gewesen seyn; welches vielleicht daher kommt: daß so gar auch die Buchstaben $\overline{b\,a\,c\,h}$ in ihrer Ordnung melodisch sind. (Diese Remarque hat den Leipziger Hrn. Bach zum Erfinder.)"*

Als Konsistorialsekretär, Bibliothekar und Münzkabinettverwalter prägte der feingebildete Salomo Franck das geistige

Gesicht des Hofes entscheidend mit. Indem er sich auch in der Dichtkunst erfolgreich betätigte, nahm er auf das kirchliche und gesellschaftliche Leben der Residenz unmittelbar Einfluß. Bach hat dem Hofbeamten seine Achtung erwiesen, indem er aus dessen Gedichtsammlungen eine große Anzahl von Kantatentexten vertonte.

Auch der Lehrkörper des gutgepflegten Gymnasiums wies einige gelehrte Persönlichkeiten auf, von denen Bach vielfältige Anregungen erfahren konnte. Im Jahre 1715 erhielt die Schule mit dem neuen Konrektor Johann Matthias Gesner einen Liebhaber und Kenner der Musik und nachmaligen Bewunderer Bachs. Was dieser Altphilologe später in einem Kommentar seiner Quintilian-Ausgabe zum Lobe Bachs eingefügt hat, gehört zu den schönsten zeitgenössischen Äußerungen über den genialen Musiker. Es heißt da — in freier Übersetzung aus den Lateinischen — am Ende der lebendigen Schilderung von Bachs Musiziertemperament: „Ich bin sonst ein großer Verehrer des Altertums, aber ich glaube, daß mein Bach, und wer ihm etwa ähnlich sein sollte, viel Männer wie Orpheus und zwanzig Sänger wie Arion in sich schließt." Als sich die beiden Männer später wieder im Kollegium der Thomasschule trafen, fand Bach in diesem Gelehrten eine feste Stütze bei der Durchsetzung seiner beruflichen Interessen.

Als „Kammermusicus" gehörte Bach der herzoglichen Kapelle an, die zu jener Zeit meist aus vierzehn Kammermusikern, sieben Trompetern und einem Pauker bestand. Mit diesem Klangkörper war es möglich, bei entsprechendem Besetzungswechsel den sonntäglichen Kirchendienst in der Schloßkapelle wie auch die kammermusikalischen Aufführungen in den Schloßräumen zu bestreiten. Mit unterhaltsamen Tafelmusiken bei Hoffesten, stimmungsvollen Serenaden in den Schloßgärten, heiteren Maskeraden zur Faschingszeit und schallender Bläsermusik bei den offiziellen Gedenktagen war der herzoglichen Kapelle ein abwechslungsreiches Betätigungsfeld zugewiesen. Bach wird teils als Violinist, teils als Cembalist an den Aufführungen mitgewirkt haben. Gewiß hat er sich aber auch schon von Anfang an durch Komposition oder Arrangement von Gelegenheitsmusiken nützlich gemacht. Die Notwendigkeit hierzu ergab sich allein schon daraus, daß von dem amtierenden Kapellmeister Johann Samuel Drese wegen altersbedingter Gebrechlichkeit nur noch wenig schöpferische Initiative ausging und daß auch sein Sohn und Vertreter Johann Wilhelm Drese als nur mittelbegabter Musiker solchen Anforderungen kaum zu genügen vermochte.

Bachs musikalische Tätigkeit erstreckte sich aber nicht nur auf den „Wilhelmsburg" genannten Schloßteil, die Residenz des regierenden Herzogs Wilhelm Ernst, sondern auch auf das von der jüngeren Herzogslinie bewohnte „Rote Schloß", dessen günstige Musikatmosphäre ihm von seinem kurzen Dienst im Jahre 1703 her in bester Erinnerung geblieben war. Jetzt konnte er die musikalische Entwicklung der beiden talentierten Prinzen Ernst August und Johann Ernst, von denen der erste im Jahre 1709 als Nachfolger seines verstorbenen Vaters in die Mitregentschaft einrückte, lenken und fördern. Besonders der jüngere Prinz Johann Ernst, der frühzeitig von Johann Gottfried Walther im Klavierspiel unterrichtet worden war und später auch dessen Unterweisung im Tonsatz erhielt, ließ eine erstaunliche Begabung als Komponist von Instrumentalkonzerten nach italienischer Art erkennen. Wie sehr auch Bach von dieser neuen „Concertmanier", die durch spannungsreichen Wechsel von konzertanten Soloepisoden und gliedernden Tuttiblocks der europäischen Orchestermusik erregende Klangeffekte zuführte, beeindruckt wurde, zeigen seine damaligen Übertragungen solcher Konzertvorbilder auf Klavier und Orgel, durch die er sich die Errungenschaften der italienischen Zeitgenossen, besonders des Venezianers Antonio Vivaldi, nachschöpferisch zu eigen machte. Auch seine eigenständigen Instrumentalkonzerte der späteren Reifezeit, wie auch das denkwürdige „Italienische Konzert" für Klavier allein, lassen diese Einflüsse nachklingen.

In seiner Eigenschaft als Hoforganist fand Bach seine Wirkungsstätte in der schmalen Schloßkirche, die turmlos und unauffällig in den Gesamtkomplex des Schlosses eingegliedert war und den poetischen Namen „Himmelsburg" trug. Mit einem quadratischen Durchbruch der flachen Balkendecke hatte man im Dachstuhl nachträglich einen Obergeschoßraum hinzugewonnen, der als „Capelle" ausgebaut und mit einer Orgel versehen wurde. Dies war des Hoforganisten eigentliches Reich. Von hier oben herab strömte der Orgelklang hinunter in das Kirchenschiff. Von den raumakustischen Wirkungen dieses ungewöhnlichen Gebäudes kann man sich heute keine rechte Vorstellung mehr machen, da es dem großen Schloßbrand des Jahres 1774 mit zum Opfer gefallen ist.

Die Schloßkirchenorgel war erst kurz vor Bachs Amtsantritt von einem tüchtigen Orgelbauer des Landes fertiggestellt worden. Doch scheint sie den Ansprüchen des neuen Hoforganisten nicht genügt zu haben, denn schon nach wenigen Jahren wird sie auf sein Betreiben durch Einbau eines Glockenspiels erweitert und schließlich 1714 durch ein neues Werk ersetzt, das der bekannte Orgelbaumeister Heinrich Nicolaus Trebs wahrscheinlich nach Bachs Disposition geschaffen hatte. Nun hatte Bach das seinen künstlerischen Zielen entsprechende Instrument, und in kurzer Zeit entwickelte er sich zum vielbewunderten Orgelvirtuosen, von dessen Spiel der Nekrolog zu berichten weiß: *„Alle Finger waren bey ihm gleich geübt; Alle waren zu der feinsten Reinig-*

keit in der Ausführung gleich geschickt. Er hatte sich so eine bequeme Fingersetzung ausgesonnen, daß es ihm nicht schwer fiel, die größten Schwierigkeiten mit der fließendesten Leichtigkeit vorzutragen. Vor ihm hatten die berühmtesten Clavieristen in Deutschland und andern Ländern, dem Daumen wenig zu schaffen gemacht. Desto besser wußte er ihn zu gebrauchen. Mit seinen zweenen Füssen konnte er auf dem Pedale solche Sätze ausführen, die manchem nicht ungeschikten Clavieristen mit fünf Fingern zu machen sauer genug werden würden."

Die reiche Orgelmusikernte der Weimarer Jahre gibt uns mit ihren spielfreudigen Toccaten und Fantasien, ihren charaktervollen Präludien und Fugen und ihren liedmäßig-intimen Choralbearbeitungen einen Eindruck von der ungeheueren Ausdrucksweitung des Orgelspiels. Kein Wunder, daß sich lernbegierige Orgelschüler aus nah und fern um Bach scharten, um ihm das Geheimnis seines Spiels abzulauschen. „Ich habe fleißig sein müssen; wer eben so fleißig ist, der wird es eben so weit bringen können", soll er ihnen — nach glaubwürdiger Überlieferung — gelegentlich mit bescheiden-humorigem Akzent geraten haben.

Begehrt war Bach aber auch als Orgelsachverständiger. Zur Planung eines Orgelneubaues oder zur Abnahme eines fertigen Werkes wurde seine Hilfe häufig erbeten. Wie es hierbei zuzugehen pflegte, hat uns sein Sohn Carl Philipp Emanuel drastisch geschildert: „Noch nie hat jemand so scharf und doch dabei aufrichtig Orgelproben übernommen. Den ganzen Orgelbau verstand er im höchsten Grade. Hatte ein Orgelbauer rechtschaffen gearbeitet und Schaden bei seinem Bau, so bewegte er die Patronen zum Nachschuß. Das Registrieren bei den Orgeln wußte niemand so gut wie er. Oft erschraken die Organisten, wenn er auf ihren Orgeln spielen wollte und nach seiner Art die Register anzog, indem sie glaubten, es könnte unmöglich so, wie er wollte, gut klingen, hörten hernach aber einen Effekt, worüber sie erstaunten. Diese Wissenschaften sind mit ihm abgestorben. Das erste, was er bei einer Orgelprobe tat, war dieses: Er sagte zum Spaß, vor allen Dingen muß ich wissen, ob die Orgel eine gute Lunge hat; um dieses zu erforschen, zog er alles Klingende an und spielte so vollstimmig als möglich. Hier wurden die Orgelbauer oft vor Schrecken ganz blaß.

Alle erhaltenen Orgelgutachten Bachs lassen hinter sorgsam wägender Kritik ein erstaunliches Wissen um orgelbautechnische Dinge erkennen. Daß nach erfolgreicher Orgelabnahme und festlichem Konzert auch Geldbeutel und Magen zu ihrem Recht kamen, bekunden uns eindrucksvolle Rechnungsbelege und Aktennotizen in mitteldeutschen Kirchenarchiven.

Ein Zeichen seiner wachsenden Berühmtheit war im Dezember 1713 der Ruf an die Liebfrauenkirche in Halle, nachdem der als Händels Lehrer bekannte Friedrich Wilhelm Zachau verstorben war. Wenn hier auch ein prächtiges Orgelwerk lockte und Bach zunächst den Anschein der Geneigtheit erweckt hatte, so entsprach doch das finanzielle Angebot schließlich nicht den Erwartungen Bachs, der zum Ärger der Hallischen Kirchenväter überraschend absagte und deren Vorwürfe der Verschleppung mit der energischen Erklärung entkräftete, es sei *„nicht zu praesumiren daß mann an einen Ohrt gehen solte, wo mann sich verschlimmert"*. Schon angesichts seiner wachsenden Familie mußte sich Bach den Blick für die Realitäten des Lebens wachhalten. Im Dezember 1708 war als erstes Kind Catharina Dorothea geboren worden, im November 1710 hatte Wilhelm Friedemann das Licht der Welt erblickt, im Februar 1713 war ein alsbald wieder verstorbenes Zwillingspaar gefolgt, im März 1714 kam Carl Philipp Emanuel hinzu und schließlich im Mai 1715 noch Johann Gottfried Bernhard.

Eine willkommene wirtschaftliche Besserstellung brachte im Frühjahr 1717 die Ernennung zum Konzertmeister, die zugleich Bachs Tätigkeitsbereich beträchtlich erweiterte. Denn die Anweisung, „monatlich neue Stücke aufzuführen", bedeutete, nunmehr im Vierwochenturnus für den Gottesdienst der Schloßkirche Kantaten zu komponieren und aufzuführen. Mit großer Regelmäßigkeit hat Bach diesen dienstlichen Auftrag in Übereinstimmung mit seinem Ideal einer „regulierten Kirchenmusik" über drei Jahre hin durchgeführt und damit eine erste reiche Kantatenernte eingebracht. Brauchbare Textvorlagen fand Bach hierzu in Salomo Francks Gedichtsammlungen, deren eine den Titel trägt: *Evangelisches Andachts-Opffer, Auf des Durchlauchtigsten Fürsten und Herrn ... Anordnung, in geistlichen CANTATEN welche auf die ordentliche Sonn- und Fest-Tage in der F. S. ges. Hof-Capelle zur Wilhelmsburg A. 1715. zu musiciren, angezündet von Salomon Francken, Fürstl. Sächß. gesamten Ober-Consistorial-Secretario in Weimar.*

Gerade in jenen Jahren erfuhr die Kirchenkantate einen entscheidenden Wandel. Während bisher ihre Textvorlagen aus Bibelwort und geistlichem Liedgut gewonnen und diese im freien Wechsel von ariosen und chorischen Partien vertont worden waren, öffnete sie sich jetzt den modernen Ausdrucksformen der Oper, indem das im Musikdrama bewährte Kontrastpaar des knapp deklamierenden Seccorezitativs und der lyrisch ausströmenden Dacapoarie der gottesdienstlichen Aussage dienstbar gemacht wurde. Geeignete Dichtungen hierfür, die rasch Nachahmung fanden, hatte der aus dem Weißenfelsischen stammende und später in Hamburg amtierende Pastor Erdmann Neumeister geschrieben, und viele fortschrittliche Komponisten hatten diese Neuerung begeistert aufgenommen. Auch Bach griff damals zu einigen dieser Neumeisterschen Texte, doch war ihm als eigentlicher Partner natürlich der privilegierte Hofpoet Salomo Franck vorbestimmt. Rund zwanzig Kantatenschöpfungen Bachs sind das Ergebnis dieser langjährigen und fruchtbaren Partnerschaft. Zu ihnen gehört die reizvolle Weihnachtskantate „Tritt auf die Glaubensbahn" (BWV 152) mit ihrem zarten Blockflöten- und Violenkolorit, aber auch die strahlende Osterkantate „Der Himmel lacht, die Erde jubilieret" (BWV 31) mit ihrer aufrüttelnden Instrumentaleinleitung und dem jubilierenden Eröffnungschor. Für einen besonderen Anlaß war offenbar die überlange, elfsätzige Kantate „Ich hatte viel Bekümmernis" (BWV 21) im Jahre 1714 entstanden. Wahrscheinlich ist dieses von bedrückender „Seufzer, Tränen, Kummer, Not"-Klage zum mitreißenden Lobpreis-Schlußchor aufsteigende Werk als musikalische Wegzehrung für den an einer „schmerzhaften Maladie" leidenden Prinzen Johann Ernst geschaffen worden, als er im Sommer 1714 genesungsuchend in das Heilbad Schwalbach, aber auf Nimmerwiederkehr, abreiste. Der Tod des hochbegabten Prinzen im folgenden Jahre wird auch Bach tief bewegt haben.

Indes hatten Hofpoet und Hoforganist auch zu freudigen Anlässen ihre Kunst dem Hofleben zur Verfügung zu stellen. Geburts- und Namenstage, Hochzeiten und Neujahrsfeiern, Gedenktage und Fürstenbesuche boten hierzu reichlich Gelegenheit. Francks Gedichtsammlungen enthalten viele solcher Gelegenheitsschöpfungen, während sich Bachs kompositorische Beteiligung leider nur durch ein erhaltenes Werk belegen läßt. Für eine Besuchsreise des Weimarer Herzogs an den Weißenfelser Hof zur Geburtstagsfeier des jagdbegeisterten Herzogs Christian, wahrscheinlich im Februar 1713, war die „Jagdkantate" (BWV 208) geschaffen und „nach gehaltenem Kampf-Jagen im Fürstlichen Jägerhofe bei einer Tafel-Musik" aufgeführt worden. Diese in mythologisches Gewand gekleidete Fürstenhuldigung hat Bach mit einer bildhaft-frischen Musik versehen, die später noch mit leichten Umdichtungen zu anderen Huldigungsanlässen herangezogen wurde und drei Sätze sogar der Kirchenmusik geliehen hat. Wenn man die beglückende Sopranarie „Mein gläubiges Herze, frohlocke, sing, scherze" aus der Leipziger Pfingstkantate BWV 68 mit ihrem idyllisch-pastoralen Urbild „Weil die wollenreichen Herden" aus der Jagdkantate vergleicht, staunt man über die enorme Wandelbarkeit der Bachschen Musikschöpfung.

Als denkwürdiges Ereignis jener Jahre lebt die Begegnung Bachs mit dem viel bewunderten Pariser Orgel- und Klaviervirtuosen Louis Marchand in zahlreichen Varianten zeitgenössischer Berichte oder späterer Erzählungen fort, als deren glaubwürdigste wir die Darstellung des Nekrologs ansehen dürfen:

„Das 1717. Jahr gab unserm schon so berühmten Bach eine neue Gelegenheit noch mehr Ehre einzulegen. Der in Franckreich berühmte Clavierspieler und Organist Marchand war nach Dreßden gekommen, hatte sich vor dem Könige mit besonderm Beyfalle hören lassen, und war so glücklich, daß ihm Königliche Dienste mit einer starken Besoldung angeboten wurden. Der damahlige Concertmeister in Dreßden, Volumier, schrieb an Bachen, dessen Verdienste ihm nicht unbekannt waren, nach Weymar, und lud ihn ein, ohne Verzug nach Dreßden zu kommen, um mit dem hochmüthigen Marchand einen musikalischen Wettstreit, um den Vorzug, zu wagen. Bach nahm diese Einladung willig an, und reisete nach Dreßden. Volumier empfing ihn mit Freuden, und verschaffete ihm Gelegenheit seinen Gegner erst verborgen zu hören. Bach lud hierauf den Marchand durch ein höfliches Handschreiben, in welchem er sich erbot, alles was ihm Marchand musikalisches aufgeben würde, aus dem Stegreife auszuführen, und sich von ihm wieder gleiche Bereitwilligkeit versprach, zum Wettstreite ein. Gewiß, eine grosse Verwegenheit!

Marchand bezeigte sich dazu sehr willig. Tag und Ort, wurde,
nicht ohne Vorwissen des Königes, angesetzet. Bach fand sich zu
bestimmter Zeit auf dem Kampfplatze in dem Hause eines vor-
nehmen Ministers ein, wo eine grosse Gesellschaft von Personen
vom hohen Range, beyderley Geschlechts, versammelt war.
Marchand ließ lange auf sich warten. Endlich schickte der Herr
des Hauses in Marchands Quartier, um ihn, im Fall er es etwan
vergessen haben möchte, erinnern zu lassen, daß es nun Zeit sey,
sich als einen Mann zu erweisen. Man erfuhr aber, zur größten
Verwunderung, daß Monsieur Marchand an eben demselben
Tage, in aller Frühe, mit Extrapost aus Dreßden abgereiset sey.
Bach der also nunmehr allein Meister des Kampfplatzes war,
hatte folglich Gelegenheit genug, die Stärcke, mit welcher er wider
seinen Gegner bewafnet war, zu zeigen. Er that es auch, zur Ver-
wunderung aller Anwesenden. Der König hatte ihm dafür ein
Geschenk von 500 Thalern bestimmet: allein durch die Untreue
eines gewissen Bedienten, der dieses Geschenk besser brauchen zu
können glaubte, wurde er drum gebracht, und mußte die erwor-
bene Ehre, als die einzige Belohnung seiner Bemühungen mit sich
nach Hause nehmen."

Trotz wachsenden Ruhms und guter künstlerischer Entfal-
tungsmöglichkeit wurde Bach das Leben am Weimarer Hofe allmählich durch die Streitigkeiten und Zerwürfnisse der beiden
Herzogslinien verleidet. Es kam sogar dazu, daß den Mitgliedern
der Hofkapelle, die traditionsmäßig zu den „gemeinschaftlichen
Dienern" zählten, gegen hohe Strafe verboten wurde, im „Roten
Schloß" Dienste zu tun. Natürlich konnte diese diktatorische Anordnung Bach nicht abhalten, seine menschlichen und künstlerischen Beziehungen zur jüngeren Herzogsfamilie weiterzupfle-
gen, so daß ihm Wilhelm Ernst seine Gunst entzog. Bachs
Entschluß, sich aus diesen ärgerlichen Verstrickungen zu befreien,

stand fest, als er bei der Neubesetzung des Kapellmeisterpostens nach dem Tode Johann Samuel Dreses am Jahresende 1716 zugunsten von dessen mittelmäßig begabtem Sohn übergangen wurde, nachdem er als Konzertmeister schon längst der spiritus rector der gesamten Hofmusikpflege gewesen war. Bach reagierte in begreiflicher Verärgerung durch Reduzierung seiner „musikalischen Dienstverpflichtungen" auf ein Mindestmaß und durch Ausschau nach einem günstigeren Wirkungskreis. Wahrscheinlich bahnten ihm Herzog Ernst August und seine Gemahlin, eine Schwester des Köthener Fürsten Leopold, den Weg zur Anhalt-Köthener Residenz, von der er alsbald eine Berufung als Hofkapellmeister erhielt. Seine Entlassung scheint Bach mit solchem Ungestüm betrieben zu haben, daß sich der Herzog zu einem Gewaltakt veranlaßt sah, der dem Hofkonzertmeister klar machte, daß er doch nur Hofbediensteter gewesen war. Die Aktennotiz des Hofsekretärs Bormann läßt hierüber keinen Zweifel:

„eod. d. 6. Nov., ist der bisherige Concert Meister u. Hof-Organist, Bach, wegen seiner Halßstarrigen Bezeugung u. zu erzwingenden dimission, auf der LandRichter-Stube arrêtiret, u. endlich d. 2. Dec. darauf, mit angezeigter Ungnade, Ihme die dimission durch den HofSecr: angedeutet, u. zugleich des arrests befreyet worden."

So endete die harmonisch begonnene Weimarer Periode mit einem schrillen Mißklang. Für Bach war die erzwungene Seßhaftigkeit sicherlich eine nicht unnütze Besinnungs- und Neuplanungspause. Allerdings hat die Vermutung, daß in jenen vier Wochen das „Orgelbüchlein", der berühmte Jahreszyklus von Choralvorspielen, entstanden sei, der quellenkritischen Überprüfung nicht standhalten können. Denn die Zusammenstellung dieses Lehrwerkes, *„Worinne einem anfahenden Organisten Anleitung gegeben wird, auff allerhand Arth einen Choral durchzu-*

führen, anbey auch sich im Pedal studio zu habilitiren", reicht über einen längeren Entstehungszeitraum. Seine Konzeption ist aber Weimarer Ursprungs, und sein Motto *„Dem Höchsten Gott allein zu Ehren, Dem Nechsten, draus sich zu belehren"* darf als Leitmotiv dieser ganzen Schaffensperiode gelten.

Die Dorfkirche zu Dornheim, in der Bach 1707 mit Maria Barbara getraut wurde

49

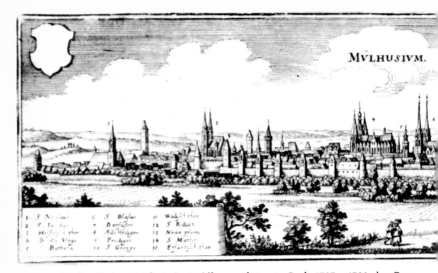

In der Freien Reichsstadt Mühlhausen betreute Bach 1707—1708 das Organistenamt an der Kirche Divi Blasii

Die Kirche Divi Blasii heute

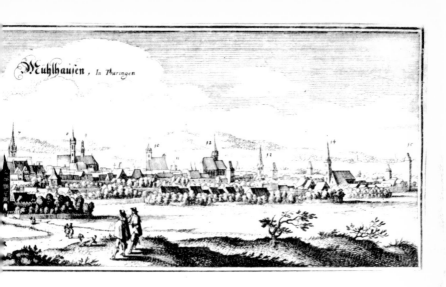

Muhlhausen, In Thuringen

Jugendbildnis Bachs, vermutlich aus der Weimarer Zeit

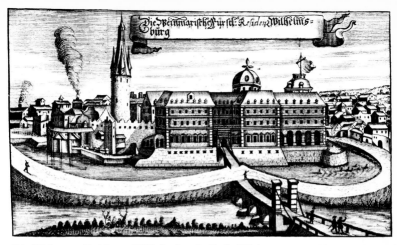

Die Weimarer Residenz „Wilhelmsburg", Bachs Wirkungsstätte 1708—1717

Das heutige Schloß bewahrt noch Gebäudeteile der alten Residenz

Bachs Dienstherr Wilhelm Ernst, Regierender Herzog von Sachsen-Weimar

Erdmann Neumeister

Auf Texte Erdmann Neumeisters schuf Bach mehrere Kantaten

WEISSENFELS
Eine Hoch Fürstl. Sæchsische
Residenz in Meissen

Das Hochfürstl.
Schloss

Ernst August
Herzog zu Sachsen
Weymar.

Die „Jagdkantate" entstand als Geburtstagsmusik für Herzog Christian von Sachsen-Weißenfels, der Bach später den Hofkapellmeistertitel verlieh

Die selbe Kantate wurde später als Geburtstagshuldigung für den mitregierenden Herzog von Sachsen-Weimar, Ernst August, wiederverwendet

Vom Kapellmeister zum Kantor

Das Bewußtsein, schon mit zweiunddreißig Jahren die höchste Stufe der musikalischen Erfolgsleiter erklommen zu haben, muß Bach mit Genugtuung erfüllt haben. Als *Hochfürstlich Anhalt-Cöthenischer Capellmeister* und *Director derer CammerMusiquen,* wie er nun selbst unterzeichnet, glaubte er sich am Ziel seiner Wünsche. Ein bedeutender Musiktheoretiker der Zeit, Johann Mattheson, hat diese allseits begehrte Berufsstellung mit den Worten gekennzeichnet: *„Ein Capellmeister ist demnach ein gelehrter Hofbeamter und Componist im höchsten Grad: welcher eines Kaisers, Königs oder großen Fürstens und Herrn geist- und weltliche Musiken verfertigt, anordnet, regieret und unter seiner Aufsicht vollziehen läßt: Gott zu Ehren, seinem Herrn zur Vergnügung und dem gantzen Hofe zum Nutzen. Er hat bisweilen 50 biß 100 und mehr Personen, als Haupt und Anführer, zu befehlen."* Für einen solch aufwendigen Aufführungsapparat fehlten allerdings der anhalt-köthenschen Zwergresidenz die Mittel. Bei seiner Erweiterung der Hofkapelle auf achtzehn Musiker war der junge Regent bereits bis an die Grenze der Möglichkeiten vorgestoßen. Doch es waren hervorragende, zum Teil weither geholte Künstler, die dieses Ensemble zu einem hochwertigen und attraktiven Klangkörper werden ließen.

Es spricht für den aufgeschlossenen Charakter des jugendlichen Leopold, daß er an den Musikübungen seiner Hofkapelle, die er weniger zur Repräsentanz seiner Fürstenwürde als zur Erfüllung eines echten Kunstbedürfnisses hielt, zwanglos als Musizierpartner teilnahm. Frühzeitig hatte er sich im Spiel der Violine, der Gambe und des Cembalos geübt, hatte daneben seine Stimme ausgebildet und sich musiktheoretische Kenntnisse erworben. Ausgedehnte Reisen hatten ihn mit der europäischen Opern- und Konzertmusik in Berührung gebracht. So war er befähigt, seinem genialen Kapellmeister Hochachtung und Sympathie entgegen zu bringen. Er ehrte ihn durch Übernahme der Patenschaft, gemeinsam mit seinem Bruder Augustus und seiner Schwester Eleonore Wilhelmine, für Bachs siebentes Kind, das bei der Taufe in der Schloßkapelle die fürstlichen Namen Leopold August erhielt. Ganz anders, als in der absolutistischen Rangordnung des Weimarer Hofes, erwuchsen Bach nunmehr aus der künstlerischen, menschlichen und sozialen Anerkennung, die auch eine rangmäßige und finanzielle Gleichstellung mit dem Hofmarschall einschloß, Schaffensglück und Lebensfreude, wie sie ihm in dieser Ungetrübtheit nie wieder zuteil wurden. Kein Wunder, daß er noch in einem späteren Briefe seinem Jugendfreund Georg Erdmann versichert: *„Daselbst hatte einen gnädigen und Music so wohl liebenden als kennenden Fürsten; bey welchem auch vermeinete meine Lebenszeit zu beschließen."*

Aus solch günstiger Schaffenssituation heraus entstand in nur fünf Jahren die stolze Reihe instrumentaler Meisterwerke, die eine neue Epoche der europäischen Instrumentalmusik einleitete. Als Gelegenheitsschöpfungen für den Hofbedarf sind diese Werke der Köthener Kapelle oder einzelnen Künstlern auf den Leib geschrieben. Archivakten unterrichten uns genauestens über Namen, Besoldung, Wirkungskreis und Instrumentarium jener Musiker, denen die historische Rolle zufiel, Bachs Werkschöpfungen zum klingenden Leben zu erwecken. Der Hofkapellmeister selbst dürfte je nach Besetzung des Werkes das musizierende Ensemble teils vom Pult der von ihm bevorzugten Bratsche aus, und teils vom Cembalo aus, das er mit ganz neuen Aufgaben bedachte, geleitet haben. In den abendlichen Musizierstunden sind wohl die ebenso liebenswerten wie kunstreichen Sonaten für Flöte, Violine oder Gambe zur eignen „Gemütsergötzung" der Ausführenden häufig erklungen, wobei der Komponist die obligate Cembalopartie oder den zu improvisierenden Continuopart vermutlich selbst übernahm. Ob jedoch die mit technischen Schwierigkeiten überhäuften je drei Sonaten und Partiten für Solovioline und die sechs solistischen Cellosuiten in der Reichweite der Köthener Kammermusiker lagen, bleibt dahingestellt. In der Verknüpfung von geigerischer Spielfreude und streng-thematischer Polyphonie, wie sie sich bei den Violinwerken in langentwickelten Fugensätzen und besonders in dem Wunderwerk der Chaconne mit ihrer gewaltigen Variationenkette offenbart, sind sie einsame Gipfelwerke der Violinliteratur und Prüfsteine für geistig-künstlerische Gestaltungsreife geblieben.

Begeisterung müssen die schwungvollen Violinkonzerte erweckt haben, von denen das a-Moll-Werk männlich-herben Charakters ist, während das Schwesterwerk in E-Dur aus lebensfroher Gestimmtheit erwächst. Das Doppelkonzert in d-Moll ist mit seinen leidenschaftlich bewegten Ecksätzen und seinem beglückenden Largosatz zu einem Lieblingsstück in den Konzertsälen geworden. Von den vier großen Orchestersuiten, die als Festmusiken zu Hoffeierlichkeiten geschrieben zu sein scheinen, haben die beiden D-Dur-Werke (BWV 1068 und 1069) durch ihre hohen Trompetenpartien die konzertpraktische Wiederbelebung verzögert, so daß noch Felix Mendelssohn Bartholdy in der denkwürdigen Gewandhausveranstaltung des 15. Februar 1838 die dritte Orchesterouvertüre in stark retouchierter Gestalt dem Leipziger Konzertpublikum bekannt machen mußte. Vor ähnliche aufführungspraktische Probleme stellen uns jene sechs Instrumentalwerke, die Bach als *Concerts avec plusieurs instruments* zu einem repräsentativen Querformat vereinigte, mit einem französischsprachigen Widmungsblatt versah und dem Markgrafen Christian Ludwig von Brandenburg als bestelltes Spielgut für seine Berliner Kapelle im Frühjahr 1721 übermittelte.

Zweifellos sind diese sechs Konzerte mit ihren originellen Klangkombinationen und abwechslungsreichen Sologruppierungen auf die Besetzungsmöglichkeiten des Köthener Orchesters zugeschnitten. Bei der Wiedereingliederung in unser Konzertleben bereiteten sie allerdings durch gewisse Partien, wie die hohe Trompete des zweiten, das Blockflötenduo des vierten, das konzertante Cembalo des fünften, die Gambengruppe des sechsten Konzertes, unseren Sinfonieorchestern erhebliche Schwierigkeiten, und erst durch die Wiederbesinnung auf das historische Instrumentarium und die Erarbeitung von dessen Spieltechnik konnte die rechte Klangproportionalität für diese transparenten Kammerkonzerte sichergestellt werden. Neben Werken der Orchester- und Kammermusik schrieb Bach damals auch zahlreiche Kompositionen für Klavierinstrumente in den gebräuchlichen Formen der Sonata, Toccata, Fantasia, Suite, des Präludiums und der Fuge. Wenn sie auch wohl vorwiegend für häusliches Musizieren gedacht waren, so werden doch einige anspruchsvollere Werke konzertanten Charakters, wie die kühn ausgreifende Chromatische Fantasie und Fuge, auch im Musiksaal des Fürsten die Hofgesellschaft beeindruckt haben.

In einer Reihe von Werken tritt der lehrhafte Zweck deutlich neben die erstrebte „Gemütsergötzung". Für seinen neunjährigen Ältesten legt der Vater am 22. Januar 1720 das *Clavier-Büchlein vor Wilhelm Friedemann Bach* an, dessen 63 größere und kleinere Stücke allerdings weder als ausgesprochene Anfängerkost noch als planvoll gereihter Klavierlehrgang angesehen werden können. Offenbar lag es Bach daran, dem klavieristisch bereits vorgebildeten Sohne einen buntgemischten Sammelband von Spielgut,

Die erste Partiturseite des Brandenburgischen Konzerts Nr. 1

theoretischem Lehrstoff und kompositorischem Anschauungsmaterial an die Hand zu geben. Für den Doppelband der je fünfzehn zweistimmigen Inventionen und dreistimmigen Sinfonien hat Bach das auf musikalische Gesamtbildung gerichtete Ziel im Vorwort eindeutig festgelegt: Erlangung einer sauberen mehrstimmigen Spieltechnik, Anregung zur Erfindung und Durchführung motivischer Gebilde, Erreichung einer kantablen Spielart und Vermittlung eines Vorgeschmacks von der Komposition. Noch heute dient diese Sammlung kleiner Charakterstücke, die sich aus unscheinbaren Motivkeimen zu Kabinettstücken polyphoner Gestaltungsvielfalt entwickeln, als musikalisches Hausbuch für jeden zielstrebigen Klavierunterricht.

Während Bach mit den Inventionen und Sinfonien noch im traditionellen Tonartenkreis verharrte, gelang ihm mit dem 1722 datierten „Wohltemperierten Klavier" ein kühner Vorstoß in tonartliches Neuland. Zwar hatte der Halberstädter Organist Andreas Werckmeister bereits 1691, auf älteren Vorarbeiten fußend, mit seiner Abhandlung über die *Musicalische Temperatur* dargelegt, wie man Klaviere wohltemperiert stimmen könne, um die bisherige Begrenzung zu überwinden, doch hatten die Praktiker nur zögernd von diesem zukunftsträchtigen Neuland Besitz ergriffen. Wenn auch schon einige Wagemutige vor Bach die Möglichkeiten der tonalen Freizügigkeit auf Grund des neuen Stimmverfahrens abgetastet hatten, wie vor allem der Badenser Johann Kaspar Ferdinand Fischer mit den zwanzig Praeludien und Fugen seiner *Ariadne Musica Neo-Organoedum*, so hat doch erst Bach mit seinem Sammelband *Das Wohltemperierte Clavier oder Praeludia, und Fugen durch alle Tone und Semitonia* die künstlerisch vollwertige Bewährungsprobe vollzogen und damit das Tor für die künftige Musikentwicklung weit aufgestoßen. Alle folgenden Musikergenerationen von den Wiener Klassikern bis zu Hindemith und Schostakowitsch haben aus dieser Wunderquelle geschöpft.

Mehr dem Zeitstil verhaftet sind Bachs Suitenkompositionen für Klavier, die mit ihrer traditionellen Reihung stilisierter Tanzsätze eine jahrhundertlange Entwicklung eindrucksvoll abschließen. Während sich die anmutigen sechs „Französischen Suiten" am besten dem zarten Klavichordton erschließen, scheinen die gewichtigeren sechs „Englischen Suiten" mit ihren konzerthaften Präludien eher dem rauschenden Cembaloklang zugedacht zu sein. Aber auch auf dem modernen Klavier bewähren sich beide Zyklen als ideales Spielgut für gehobene Hausmusikansprüche.

Mit dem vielseitigen Wirken ihres genialen Hofkomponisten erreichte die Musikpflege der Köthener Residenz in den Jahren 1717 bis 1723 ihren absoluten Höhepunkt. Solcher Einzigartigkeit bewußt, versuchte der musikliebende Fürst die gewohnte künstlerische Atmosphäre auch auf seinen Reisen zu erhalten, indem er sich von einigen Mitgliedern der Hofkapelle begleiten ließ. So finden wir Bach 1718 und 1720 mit etlichen Kammermusikern im Gefolge des in Karlsbad erholungsuchenden Fürsten. Bei der Rückkehr von der zweiten Reise im Juli 1720 traf ihn ein Schicksalsschlag, dessen nähere Umstände der Nekrolog erläutert:

„Nachdem er mit dieser seiner ersten Ehegattin 13. Jahre eine vergnügte Ehe geführet hatte, wiederfuhr ihm in Cöthen, im Jahre 1720. der empfindliche Schmerz, dieselbe, bey seiner Rückkunft von einer Reise, mit seinem Fürsten nach dem Carlsbade, todt und begraben zu finden; ohngeachtet er sie bey der Abreise gesund und frisch verlassen hatte. Die erste Nachricht, daß sie krank gewesen und gestorben wäre, erhielt er beym Eintritte in sein Hauß."

Vielleicht hat dieses tragische Ereignis in Bach den Wunsch erweckt, an der Stätte wehmütigen Gedenkens seine Zelte abzu-

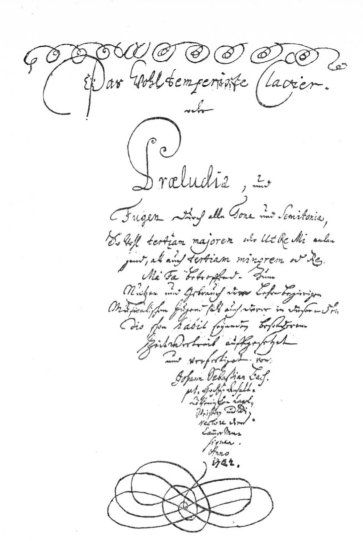

Das Wohltemperierte Klavier, 1722; Titelseite

brechen. Jedenfalls finden wir ihn bereits zwei Monate später in Hamburg bei der Sondierung eines möglichen Wirkungsfeldes. Hier war an St. Jacobi nach dem Tode Heinrich Frieses das Organistenamt verwaist. Das viermanualige Meisterwerk Arp Schnitgers, das als eines der wertvollsten historischen Instrumente noch den Klangstil der neueren Orgelbewegung entscheidend mitgeprägt hat, muß zweifellos auch Bach mächtig angezogen haben. Daß er die Angelegenheit dann doch nicht ernsthaft weiterbetrieb, sondern sich zum Verbleib im Köthener Hofdienst entschloß, mag ebenso durch ernüchternde Einblicke in die Hamburger Berufssituation wie auch durch die Einflußnahme des Fürsten Leopold mitbedingt gewesen sein. Der eigentliche Gewinn dieser Sondierungsreise war die Begegnung mit dem niederländischen Orgelmeister Jan Adams Reinken, dem er an der Katharinenorgel mit Variationen über den Choral „An Wasserflüssen Babylon" ein schwerwiegendes Lobwort abrang und wahrscheinlich mit der prächtigen g-Moll-Fuge (BWV 542), deren Thema auf ein niederländisches Volkslied zurückgeht, eine gediegene Huldigung bereitete.

Da die Köthener Residenz der Reformierten Kirche angehörte, bot sich für kirchliche Orgelkompositionen und Kantatenaufführungen wenig Gelegenheit. Glücklicherweise wurde aber die geistige Atmosphäre des Hoflebens keineswegs von konfessioneller Engherzigkeit, sondern geradezu von einer humanistischen Großzügigkeit bestimmt, die sich nicht erst in dem Toleranzedikt des jungen Fürsten offenbarte, sondern schon in der Heirat des Vaters mit einer Protestantin und in der Bewilligung einer lutherischen Kirche und Schule kundgetan hatte. So konnte Bach wenigstens an besonderen Festtagen auch mit kirchlicher Figuralmusik protestantischer Art aufwarten. Vor allem zu Neujahr und an fürstlichen Geburtstagen scheint je eine weltliche und eine kirchliche Kantatenaufführung üblich gewesen zu sein. Wenn hierfür dem Kapellmeister auch kein Vokalchor zu Gebote stand, so fand er doch in den Gesangssolisten des Hofes hochwertige Musikpartner.

Eine der „Fürstlichen Sängerinnen" war von 1721 an Anna Magdalena Wilcke, die jüngste Tochter des Zeitzer und nachher Weißenfelser Hoftrompeters. Wir wissen nicht, wie sich Bachs Interesse von den künstlerischen Belangen allmählich auf die menschliche Erlebnissphäre ausdehnte; gewiß aber hat es die sechzehn Jahre jüngere Künstlerin als hohes Glück empfunden, von dem berühmten Hofkapellmeister als Lebensgefährtin und Mutter seiner unmündigen Kinderschar auserkoren worden zu sein. Nach der am 3. Dezember 1721 mit fürstlicher Genehmigung in Bachs Wohnung vollzogenen Trauung begann für die Bachfamilie ein neuer Lebensabschnitt. Da Anna Magdalena auch als Frau Hofkapellmeister ihre Künstlergage weiter bezog, war dieser Lebensbund auch wirtschaftlich wohlfundiert. Leider wissen wir nichts von ihrer äußeren Erscheinung, da das einzige, noch im Nachlaß des Sohnes Carl Philipp Emanuel nachgewiesene Ölporträt inzwischen verschollen ist. Mit sympathischen Zügen spiegelt sie sich noch später in den Briefentwürfen des Vetters Johann Elias Bach, der sie als Liebhaberin von Singvögeln und als Freundin von Blumen schildert. Ihren wohlgeformten Schriftzügen begegnet man in zahlreichen Abschriften Bachscher Werke. Wie sie in 28jähriger Ehe neben dreizehn Geburten und den Anforderungen des kinderreichen Haushaltes noch Zeit zu künstlerischer Betätigung und Mitbeteiligung am Schaffen ihres Mannes fand, bleibt bewundernswert. Gewiß hat ihr der Gatte, der in einem Briefe ihren „sauberen Soprano" rühmt, manche seiner Sopranpartien auf den Leib geschrieben.

Ein beredtes Zeugnis dieses innigen Eheverhältnisses sind die beiden Klavierbüchlein, die Bach 1722 und 1725 für Anna Magdalena anlegte. Das erste ist ein schlichter, heute nicht mehr vollständiger Querformatband, der fünf „Französische Suiten" und einige kleinere Stücke, meist von der Hand Johann Sebastians, enthält. Das zweite ist ein kostbarer Geschenkband, dessen Deckel mit grünem Pergament überzogen und mit goldenen Zierleisten und der Goldprägung *A. M. B. 1725* ausgestattet ist. Es trägt den Charakter eines musikalischen Haus- und Stammbuches, in das nach und nach eine bunte Folge von ernsten und heiteren, wichtigen und nebensächlichen, instruktiven und amüsanten Sing- und Spielstücken eigener oder fremder Komposition durch Bach, seine Frau oder die heranwachsenden Kinder eingetragen wurde. Die Weite des häuslichen Erlebniskreises spiegelt sich am deutlichsten in der inhaltlichen Mannigfaltigkeit der eingestreuten Gesangsnummern, darunter die Choräle „O Ewigkeit, du Donnerwort" und „Dir, dir, Jehova, will ich singen", die moralisierende Arie „Erbauliche Gedanken eines Tobackrauchers", das Liebeslied „Willst du dein Herz mir schenken" und die Sterbearie „Schlummert ein, ihr matten Augen".

Nur eine Woche nach Bachs stiller Hochzeitsfeier vermählte sich Fürst Leopold mit seiner Base Friedrica Henrietta, Prinzessin von Anhalt-Bernburg. Die rauschenden Festlichkeiten bereicherte Bach durch eine heute nicht mehr erhaltene Gratulationsmusik, ohne zu ahnen, daß gerade diese Frau eine Wende seines beruflichen Lebens herbeiführen würde. Denn in einem späteren Brief berichtet er, daß nach dieser Vermählung *„die musicalische Inclination bey besagtem Fürsten in etwas laulicht werden wolte, zumahln da die neue Fürstin schiene eine amusa zu seyn."* So fühlte sich Bach in seinem Wirkungsgebiet bedroht und hielt Ausschau nach einem dankbareren Betätigungsfeld, wobei er in Rücksicht auf seine heranwachsenden Söhne, die *„denen* *studiis zu incliniren schienen"*, vor allem an eine Universitäts-stadt dachte.

Das harmonische Verhältnis zu seinem Fürsten erfuhr durch solche Planungen und spätere Entscheidungen keinerlei Trübung. Der freundliche Ton des Entlassungsscheines, weitere Werkwidmungen und Huldigungsmusiken vom neuen Wirkungsort aus und besonders die gewiß ehrlichen Herzens dargebrachte Trauermusik für den frühverstorbenen Mäzen im Frühjahr 1729 sind hierfür überzeugende Belege.

Die Kunde vom Tode des Leipziger Thomaskantors Johann Kuhnau im Juni 1722 ließ den Köthener Hofkapellmeister Bach aufhorchen. Als Künstler und Gelehrter sowie als Komponist fortschrittlicher Klavierwerke hatte sich Kuhnau hohes Ansehen erworben. Im hartnäckigen Kampf um die Besserstellung der Kirchenmusik und gegen die schädigenden Einflüsse des Opernwesens war er früh gealtert und verbittert gestorben. Auf der Suche nach einem vollwertigen Ersatz hatte sich der Rat der Stadt sogleich des berühmten Georg Philipp Telemann entsonnen, der als ehemaliger Leipziger Jurastudent und Leiter eines Collegium musicum, als Organist der Neukirche und eifriger Opernkomponist noch vielen Leipziger Musikfreunden in bester Erinnerung war. Unter den sechs Bewerbern, die das vakante Thomaskantorat, eines der begehrtesten Kirchenmusikämter Deutschlands, sogleich angelockt hatte, räumte man dem damaligen Hamburger Kirchenmusikdirektor Telemann von vornherein die größte Chance ein. Nach erfolgreicher Kantatenprobe und rascher Einigung über Sonderbedingungen teilte man ihm bereits am 13. August die Wahl zum Thomaskantor mit. Es war eine bittere Enttäuschung für die Stadtväter, daß dieser begünstigte Anwärter nach planvoller Verzögerung und einer inzwischen vom Hamburger Konsistorium erwirkten Gehaltsaufbesserung schließlich einen Absagebrief nach Leipzig schrieb. Nach einigen Wochen der Ratlosigkeit sah man sich erneut in der Bewerberliste um, die sich inzwischen um einige Namen erweitert hatte. Im Ratsprotokoll vom 21. Dezember wird erstmalig erwähnt, daß sich auch „der Capellmeister Graupner in Darmstadt und Bach in Köthen" gemeldet hätten. Sogleich richtete sich die Hoffnung der Stadtväter auf den berühmten Darmstädter Hofkapellmeister, der als ehemaliger Thomaner, Kuhnauschüler und Leipziger Student mit den örtlichen Musikverhältnissen bestens vertraut war und sich inzwischen durch ein fruchtbares Kirchenmusikschaffen höchste Achtung in der Fachwelt errungen hatte. Nachdem er am 17. Januar 1723 die Kantatenprobe erfolgreich abgelegt hatte und mit einem Bittbrief des Rates um Freistellung zu seinem hessischen Landesherrn zurückgekehrt war, erreichte den Leipziger Rat mit dem Briefe Graupners vom 22. März eine erneute Absage, da der Landgraf sich der Abwanderung seines verdienstvollen Kapellmeisters widersetzt und ihm den Verbleib durch eine Gehaltserhöhung schmackhaft gemacht hatte. Die Resignation der abermals enttäuschten Stadtväter klingt noch in dem vielzitierten Wort des Bürgermeisters Abraham Christoph Platz auf der Ratssitzung vom 9. April nach: „Da man nun die besten nicht bekommen könne, müsse man mittlere nehmen", wenngleich der groteske Charakter dieser Fehleinschätzung durch den auf einen Pirnaer Kantor weisenden Nachsatz gemildert wird.

Bach hatte bereits zum Sonntag Estomihi, am 7. Februar, mit der Kantate „Jesus nahm zu sich die Zwölfe" (BWV 22) eine Probe seines gewiß nicht „mittleren" Könnens abgelegt und war damit nach Zeitungsberichten sogar *„von allen, welche dergleichen ästimiren, sehr gelobet worden"*. Inzwischen war er, mit 20 Talern *„Reise- und ZehrungsKosten"* versehen, wieder an den Köthener Hof zurückgekehrt, um die Entscheidung des Leipziger Rates abzuwarten. Dieser scheint auf Grund günstiger Auskünfte die Zurückhaltung gegenüber Bach allmählich abgebaut zu haben, da in der Ratssitzung vom 22. April die anerkennenden Worte fielen: *„Bach wäre Capellmeister zu Cöthen, und excellirte im Clavier ... Wann Bach erwehlet würde, so könnte man Telemann, wegen seiner Conduite, vergeßen."* Mit einer einstimmigen Wahl bekannte sich schließlich der Gesamtrat zum neuen Thomaskantor, der vorerst noch den Dimissionsschein des Köthener Dienstherren vorzulegen hatte, ehe ihm am 5. Mai auf der Ratsstube

1. Die St. Thomas Kirche, 2. Die Thomas Schule.
3. Der Steinerne Wasser=Kasten

Krüener sc. siglia.

Thomaskirche und Thomasschule, 1723

die Berufung offiziell mitgeteilt wurde. Freilich kann Bach die scheinheiligen Einführungsworte des amtierenden Bürgermeisters Gottfried Lange, *„daß sich zum Cantorn Dienste bey der Schule zu St. Thomae zwar unterschiedene gemeldet: weil Er aber vor den capablesten darzu erachtet worden, so hätte man Ihn einhellig erwehlet"*, nur mit einem ironischen Lächeln quittiert haben. Nachdem er sich einer Überprüfung in den Glaubensartikeln und der Vereidigung auf die Konkordienformel unterzogen und damit die Wahlbestätigung durch das Konsistorium erlangt hatte, kehrte er zu seiner Familie zurück, um den Umzug nach Leipzig vorzubereiten. Von dem vielbeachteten Ereignis des 22. Mai berichtet sogar eine norddeutsche Zeitung in aller Ausführlichkeit: *„Am vergangenen Sonnabend zu Mittage kamen 4. Wagen mit Haus-Raht beladen von Cöthen allhier an, so dem gewesenen dasigen Fürstl. Capell-Meister, als nach Leipzig vocirten Cantori Figurali, zugehöreten; Um 2. Uhr kam er selbst nebst seiner Familie auf 2 Kutschen an, und bezog die in der Thomas-Schule neu renovirte Wohnung"*. Zum „Hausrat" gehörten zweifellos mehrere Klaviere und andere Instrumente, zur „Familie" die junge Ehefrau mit vier Kindern von acht, neun, zwölf und vierzehn Jahren. Die Amtseinweisung, die am 1. Juni in der Thomasschule mit dem traditionellen Aufwand an Gesängen, Ansprachen, Verpflichtungen und Danksagungen vor sich ging, beendete ein ungewisses Berufshalbjahr Bachs.

So war dem Kulturleben der alten Universitäts- und Handelsmetropole ein Mann gewonnen, dem sie das stolzeste Kapitel ihrer Musikgeschichte danken sollte. Von dieser historischen Rolle hatte sich wohl bei der Wahlabstimmung keiner der Ratsherren eine rechte Vorstellung gemacht.

Aber auch für Bach war die kurze Wegstrecke von Köthen nach Leipzig zur entscheidendsten Wende seines Lebens geworden. Er hat sich diesen Entschluß nicht leicht werden lassen. Hemmend wirkten offenbar ebenso die Bindungen an die musikfreundliche Residenz des Fürsten Leopold, bei dem er ursprünglich seine *„Lebenszeit zu beschließen"* beabsichtigt hatte, wie auch das bedrückende Gefühl, daß es ihm *„anfänglich gar nicht anständig seyn wolte, aus einem Capellmeister ein Cantor zu werden"*, wie er 1730 rückschauend bekennt. So kommt es zu der merkwürdigen Situation, daß er seine *„resolution auf ein vierthel Jahr trainirete"* und sogar sechs Monate verstreichen ließ, ehe er seine Bewerbung in Leipzig anbrachte. Dieses riskante Zögern aber kommt angesichts der Begehrtheit des Leipziger Postens fast einer Verzichtsabsicht gleich, für die eine kollegiale Rücksicht auf den befreundeten Mitbewerber Telemann mitbestimmend gewesen sein mag. Die unerwartete Absage Telemanns könnte ihn dann zu einer entschlosseneren Haltung ermutigt haben. Aber auch bei dieser Deutung bleibt der Widerspruch bestehen, daß Bach selbst die Vakanz des Thomaskantorats einerseits als Fügung Gottes bezeichnet, sich ihr aber andererseits zugunsten eigener Entscheidungen nicht sogleich unterwirft.

Indes haben aber auch andere schwer deutbare Nebenerscheinungen dieses Orts- und Berufswechsels den Bachbiographen viel Kopfzerbrechen bereitet. So scheint etwa Bachs Begründung seines Schrittes mit der Musikfeindlichkeit der Fürstengattin von der Ironie des Schicksals entkräftet, das diesen Störenfried noch vor Bachs Weggang sterben ließ, und die Motivierung durch die *„etwas laulicht"* werdende *„musicalische Inclination bey besagtem Fürsten"* scheint durch die Tatsache abgeschwächt, daß Bach auch von Leipzig aus in Köthen mehrfach konzertiert und den Fürsten mit musikalischen Huldigungen bedacht hat. Schließlich aber hat Bachs Bedenken, *„aus einem Capellmeister ein Cantor zu werden"*, die unterschiedlichsten Deutungen erfahren. Aus diesem Ausspruch ein programmatisches Bekenntnis zum weltlichen Schaffen Köthener Prägung herauslesen zu wollen, würde im krassen Widerspruch sowohl zu Bachs früher formulierter Forderung einer „regulierten" und „wohlzufassenden Kirchenmusik" stehen, als auch durch die kurz danach einsetzende Hochblüte des Leipziger Kirchenmusikschaffens Lügen gestraft werden. Man kann Bachs Ausspruch aber auch nicht als Furcht vor einem sozialen Abstieg deuten. Diese häufig vertretene Ansicht erweist ihren Widersinn allein durch die Tatsache, daß sich um das vakante Thomaskantorat damals gleich drei bekannte Hofkapellmeister bewarben, die wohl schwerlich alle einen sozialen Abstieg anstrebten. Vielmehr waren die führenden Kirchenmusikämter nach Art des Thomaskantorats einem Hofkapellmeisterposten in Rang und Lebensstandard durchaus ebenbürtig, wenn nicht gar überlegen, und im Zeitalter des aufstrebenden Bürgertums vielen Musikern begehrenswerter als die von Gunst und Laune des Fürsten abhängigen Hofstellungen. Offenbar war die Frage der titularen Repräsentation für Bach, wie nachweislich auch für viele Zeitgenossen, im beruflichen Existenzkampf nicht unwichtig, was sich auch in seinen Unterschriften bestätigt. Will man aber Bachs Ausspruch zum ideologischen Angelpunkt des Fragenkomplexes „weltlich — geistlich" machen, so ist zu bedenken, daß einer solchen Deutung die irrtümliche Gleichung: Kapellmeister = weltliches Schaffen, Kantor = geistliches Schaffen zu Grunde liegt, die durch die damalige Berufspraxis widerlegt wird. Denn das Kapellmeisteramt schließt ebenso wenig das kirchliche wie das Kantorenamt das weltliche Schaffen aus. Im übrigen bezog sich Bachs Mißbehagen wohl nur auf die schulische Bindung des Kantorenamtes, die er nach Amtsübernahme auch baldigst zu lockern suchte.

Demnach läßt sich die Problematik jener entscheidenden Monate vielleicht so darstellen: Der Hofkapellmeister Bach hatte zunächst wenig Anlaß, der glücklichen Schaffensatmosphäre Köthens den Rücken zu kehren, entschloß sich aber nach einer vermeintlichen Verschlechterung der Lage und nach Absage Telemanns doch noch zur Bewerbung und nahm schließlich das Amt an, nachdem er sich von den Entfaltungsmöglichkeiten des zunächst beengt scheinenden schulisch-kirchlichen Arbeitsbereichs überzeugt hatte. Das in Bachs Ausspruch wesentliche Wort „anfänglich" weist auf solche Sinnesänderung hin. Einen so gewichtigen Schritt gegen seine Überzeugung zu tun, ist gerade bei Bach kaum vorstellbar. So muß man in Bachs Entscheidung für Leipzig doch ein Bekenntnis zum Thomaskantorat sehen, dessen Aufgabenbereich er allerdings alsbald durch Fortführung der Köthener Traditionen in Richtung des weltlich-instrumentalen Schaffens konsequent auszuweiten trachtete. Wie es ihm gelang, das Berufsbild des Kantors mit dem des Kapellmeisters zur Synthese zu führen, dafür bietet die Geschichte der Leipziger Schaffensperiode überzeugende Belege. Hierbei erweist es sich, daß die in der Bachliteratur häufig spürbare Tendenz zur Abwertung der Köthener Periode als bedauerliche Abweichung vom vorbestimmten kirchenmusikalischen Hauptweg eine bedenkliche Fehleinschätzung darstellt, die das Gesamtbild des Bachschen Wirkens verzerrt, denn Leipzig ist letztlich ohne Köthen nicht denkbar.

Leipzig, die Königliche und Chur-Sächsische Haupt-, Kauff-und Handels-Stadt, das Auge des Churfürstenthums, war für den neuen Thomaskantor keine unbekannte Stadt. Unter anderem hatte er im Dezember 1717 auf Einladung der Universität die vom Leipziger Orgelbauer Johann Scheibe erstellte Orgel der Paulinerkirche geprüft und seinen günstigen Eindruck in einem ausführlichen Gutachten dargelegt, das sein profundes Fachwissen erkennen läßt. Gewiß hat er bei dieser Gelegenheit auch den Thomaskantor Johann Kuhnau aufgesucht, der im Vorjahr sein Partner bei der Orgelprüfung in der Halleschen Liebfrauenkirche gewesen war. Einblicke in das Schulleben und den Musikbetrieb des Thomanerchores werden sich dabei von selbst ergeben haben. Darüber hinaus wird Bach natürlich auch nachhaltige Eindrücke von dem pulsierenden Leben der bildungsfreudigen und fortschrittlichen Stadt gewonnen haben, die ihren weltoffenen Charakter alljährlich dreimal zu den Messezeiten den herbeiströmenden Fremden vor Augen führte. Die liebliche Pleißenlandschaft mit ihren kunstvoll angelegten Gärten wird er ebenso bestaunt haben wie die saubere Innenstadt mit ihren gepflasterten und beleuchteten Straßen, ihren stattlichen Bürgerhäusern, einladenden Kaffeeschenken und Gasthöfen, Kirchen und öffentlichen Bibliotheken.

Für siebenundzwanzig Jahre wurde nun der an der westlichen Stadtmauer unweit der Pleißenburg gelegene schmale Platz, der seiner einstigen Zweckbestimmung gemäß den Namen „Thomaskirchhof" trug, Bachs Lebensraum. Vom Kirchen- und Schulgebäude und von einer Front von sechs Bürgerhäusern begrenzt, öffnete sich dieser Platz durch schmale Gassen zum Markt- und Pleißenviertel, während in westlicher Richtung das enge „Thomaspförtchen" den Weg in ein anmutiges Garten- und Wiesengelände freigab. Das im 16. Jahrhundert erbaute und längst unzureichende Schulgebäude beherbergte neben den Klassenzimmern, den Wohn- und Schlafräumen der Alumnen und der Rektorwohnung auch die im Südflügel auf drei Stockwerke verteilte Kantorwohnung. Eins von den nach Westen gelegenen Zimmern des ersten Stockes mit herrlichem Blick in die Vorlandschaft war die einfenstrige „Componirstube". Als der Rat der Stadt im Jahre 1902 das ehrwürdige Schulgebäude abbrechen ließ, verlor die Welt eine einzigartige Erinnerungsstätte.

Die Übernahme des Thomaskantorats bedeutete für Bach eine völlige Umorientierung in seiner Arbeit. Das sporadische Schaffen im Köthener Hofkreis wurde durch den unausweichbaren Pflichtenrhythmus des von Schule, Kirche und Stadt durchorganisierten Musikbetriebes abgelöst. Das persönlich-direkte Dienstverhältnis zwischen Fürst und Kapellmeister wich der unpersönlichen Verwaltungsmaschinerie städtischer und kirchlicher Amtsstuben. Der überwiegend weltlich und solistisch orientierte Aufgabenbereich wandelte sich zu einer vorherrschend kirchlich und chorisch bestimmten Schaffensrichtung. Diese kräfteverschleißende Umstellung betraf glücklicherweise einen Achtunddreißigjährigen, dem als geprägter Persönlichkeit noch jugendliche Elastizität zu Gebote stand. Bereits eine Woche nach seinem Eintreffen mußte er sich zum Trinitatisfest in der städtischen Hauptkirche St. Nicolai mit einer Antrittsmusik präsentieren. Die kurzfristig geschaffene Kantate „Die Elenden sollen essen" (BWV 23) wird in ihrer großangelegten und alle Darstellungsmittel ausnutzenden Gestaltung die Erwartungen der Leipziger Bürgerschaft nicht enttäuscht haben, zumal der Chronist ausdrücklich erwähnt, daß die Aufführung *„mit guten applausu"* aufgenommen wurde.

Aber nicht nur an den Komponisten, sondern auch an den Organisator stellten die ersten Amtstage hohe Anforderungen. Da galt es zunächst, die fünfundfünfzig Alumnen auf Leistung und Einsatzfähigkeit zu überprüfen und auf Einzelchöre aufzuteilen. Denn die Bewältigung des großen Aufgabenbereichs mit seinem allwöchentlichen Kantaten- und Motettengesang in den vier Hauptkirchen und dem zusätzlichen Hochzeits-, Leichen-, Neujahrs- und Kurrendesingen war nur durch eine präzise Kantoreiordnung möglich. Aus Bachs eigenhändiger Aufstellung ersieht man, daß für die vier getrennt eingesetzten Sonntagskantoreien maximal nur je zwölf Sänger zur Verfügung standen, das bedeutet: für jede Stimmgattung höchstens dreifache Besetzung. In einer späteren Eingabe hat sich Bach über die wirkliche Leistungsfähigkeit seiner Alumnen mit drastischen Worten geäußert: *„In denen 3 Kirchen, als zu S. Thomae, S. Nicolai und der Neuen Kirche müßen die Schüler alle musicalisch seyn. In die Peters-Kirche kömmt der Ausschuß, nemlich die, so keine music verstehen, sondern nur nothdörfftig einen Choral singen können.“*

Bach hat wohl nie einen idealen Schülerchor zur Verfügung gehabt, denn noch nach Jahren muß er sich mit „17 zu gebrauchenden, 20 noch nicht zu gebrauchenden und 17 untüchtigen" abfinden. Allerdings muß die Gruppe der „zu gebrauchenden" auch jene kleine Schar von Elitesängern eingeschlossen haben, die als *„Concertisten"* anspruchsvolle Soloarien zu bewältigen hatten. Für die Sopran- und Altpartien waren dies in der Regel Knaben, gelegentlich wohl auch falsettkundige Erwachsene, für die Tenor- und Baßpartien entweder ältere Alumnen oder hilfsbereite Studenten. Fast noch mehr Sorgen bereitete Bach die Beschaffung eines leistungsfähigen Instrumentalapparates, denn hierfür reichte das dem Thomaskantor unterstellte „Städtische Orchester" mit seinen vier Stadtpfeifern, drei Kunstgeigern und einem Gesellen bei weitem nicht aus. Wenn diese auch durch Beherrschung mehrerer Instrumente vielseitig einsatzfähig waren, so erreichten doch wohl nur wenige von ihnen das künstlerische Niveau etwa der königlichen Musiker in Dresden, von denen Bach sozialkritisch feststellt, daß ihnen *„die Sorge der Nahrung benommen"* ist, während mancher der armen Stadtmusiker *„vor Sorgen der Nahrung nicht dahin dencken kan, üm sich zu perfectioniren, noch weniger zu distinguiren"*. Um so höher zu schätzen ist die Blaskunst des genialen Trompeters Gottfried Reiche, dem Bach in einer Vielzahl glänzender Trompetenpartien ein Denkmal gesetzt hat. Sein Ölporträt von der Hand des Leipziger Ratsmalers Elias Gottlob Haußmann zählt zu den schönsten Musikerbildnissen des 18. Jahrhunderts. Glücklicherweise fand Bach in der Studentenschaft willkommene Helfer. Wenn der Rat schon für die Neubesetzung des Thomaskantorats vorsorglich gewünscht hatte, *„auf einen berühmten Mann bedacht zu seyn, damit die Herren Studiosi animiret werden möchten"*, so ist dieser Wunsch vollkommen in Erfüllung gegangen. Bachs reich instrumentierte Orchesterpartituren hätten ohne die Mithilfe der akademischen Jugend klanglich wohl kaum verwirklicht werden können. Es war daher unklug vom Leipziger Rat, die ehedem den Studenten gewährten *„beneficia"* allmählich wieder zu entziehen und damit *„die Willfährigkeit der Studiosorum"* zu mindern, was Bach zu der vorwurfsvollen Frage veranlaßt: *„Denn wer wird ümsonst arbeiten, oder Dienste thun?"*

Als Daueraufgabe stand jetzt vor Bach die allsonntägliche Versorgung der Hauptkirchen mit Kantatenmusik. Woche für Woche, mit Ausnahme der kirchenmusiklosen Advents- und Fastenzeit, wiederholte sich mit Komponieren, Stimmenausschreiben, Proben und Aufführen der gleiche Arbeitsvorgang. Fast anderthalb Tausend Sonn- und Festtage hat Bach in dieser Zeit musikalisch ausgestaltet, allerdings nicht alle mit neuen Kompositionen, sondern gelegentlich unter Rückgriff auf ältere Werke oder unter Heranziehung von Werken anderer Komponisten. Aber auch dann bedurfte es meist der Überarbeitung oder Zurichtung für die neue Aufführungssituation. Man weiß nicht, ob diese Riesenaufgabe dem Thomaskantor Bach allmählich zur Last wurde, oder ob er sie bis zum Ende mit der gleichen Schaffensfreude durchgeführt hat. Der Form- und Ausdrucksreichtum, mit dem er die gleichartigen Pflichten in immer neuer Weise löste und damit den Gefahren des Schematismus und der Monotonie auswich, berechtigt zu der Annahme, daß er diese Aufgabe nicht als Zwangsarbeit im Dienste der Kirche ansah, sondern als sein eigenes künstlerisches Anliegen. Gewiß war die liturgisch gebundene Kantate von altersher musikalische Predigt und Auslegung des Bibelwortes, aber darüber hinaus war sie für den Musiker Bach ein willkommenes Mittel, künstlerisch in die breite Öffentlichkeit zu wirken. Die sonntägliche Kantatenaufführung wurde unter seinen Händen zu einer Form öffentlichen Musizierens, das die Kunstbedürfnisse der Leipziger Bürgerschaft befriedigen half. Der konzertante Charakter der Bachschen Kantate zeigt sich nicht nur in der Verwendung der hochaktuellen Opernformen, sondern auch in der instrumentalen Durchdringung und konzertanten Weitung der Arien und Chöre sowie in der häufigen Einfügung reiner Instrumentalkonzertsätze. So wurde wohl für zahlreiche Bürger und Gäste der Messestadt die Bachsche Sonntagskantate zum wichtigsten Musikereignis der Woche, und viele haben vielleicht nur ihr zuliebe den Weg zur Kirche genommen.

Die jüngere Bachforschung hat eine zeitliche Neuordnung des Leipziger Kantatenwerkes vorgenommen. Während man bisher den Gesamtbestand auf die ganze Leipziger Schaffenszeit verteilen zu müssen glaubte, konnte jetzt überzeugend nachgewiesen werden, daß Bach in unerhörter Konzentration den überwiegenden Teil bereits in den ersten drei Jahren fertigstellte, indem er Woche für Woche ein neues Werk schuf und damit einen ausreichenden Fundus für die folgenden Jahre gewann. Offenbar hat sich Bach damit die Hände für andere Aufgaben freigemacht, was aber nicht bedeutet, daß sein Interesse am kirchenmusikalischen Tätigkeitsfeld erloschen war, denn die großen oratorischen Werke traten gerade erst in sein Gesichtsfeld. Überblickt man das riesige Kantatenwerk als Ganzes, so versteht man den Ausspruch

Texte

Zur Leipziger

Kirchen-MUSIC,

Auf das

Heil. Oster-Fest,

Und

Die beyden

Nachfolgenden Sonntage.

❧ ——————————————— ❧

Anno 1731.

Titelseite zu den Texten der Osterkantaten 1731

Albert Schweitzers, daß daneben fast alles andere als Zutat erscheint. In der Tat ist die Kantate das Kernstück des Bachschen Schaffens. Ihre Kenntnis erschließt wesentliche Züge des Bachbildes. Von fünf Jahrgängen Kirchenkantaten blieben rund zweihundert erhalten, die meisten in Form der Originalpartitur und des Originalstimmensatzes, oder einer dieser beiden Quellen, die anderen wenigstens in zeitgenössischen Abschriften. Die kostbaren Originalhandschriften befinden sich heute zum größten Teil im Verwahr deutscher Bibliotheken und Archive, zum geringen Teil in ausländischem Bibliotheks- oder Privatbesitz. Bachs eigenhändige Partiturniederschrift gewährt uns fast stets Einblicke in die Werkgeschichte. Als korrekturreiche, flüchtige Konzeptschrift läßt sie uns unmittelbar am Entstehungsprozeß teilhaben, als korrekturarme Reinschrift stellt sie meist ein Spätstadium des Werkes dar und läßt auf Vorlagen und Umarbeitungen schließen. Der Originalstimmensatz als Bachs Aufführungsmaterial gibt uns weitere wichtige Auskünfte zur Entstehungsgeschichte und Aufführungspraxis. In den meisten Fällen nicht von Bach selbst, sondern von Familienmitgliedern, Schülern oder Berufskopisten aus der Originalpartitur ausgezogen und von Bach nur abschließend revidiert, übermitteln uns die Stimmensätze im allgemeinen ein vollständigeres Werkbild als die meist wenig bezeichnete Konzeptpartitur. Besonders aber gibt uns die personelle Zusammensetzung des jeweiligen Schreiberteams Hinweise zur Chronologie und Aufführungsdatierung der einzelnen Werke. Auf Grund von quellenkritischen Untersuchungen solcher und ähnlicher Art konnten die ursprünglichen Kantatenjahrgänge weitgehend rekonstruiert werden. Daneben gelang es häufig, auch unbekannte Werkfassungen und Umarbeitungen aus dem Quellenmaterial herauszulösen und für die Praxis wiederzugewinnen.

Schaut man sich in der Formenwelt des Kantatenwerkes um, so staunt man über den unerschöpflichen Phantasiereichtum, mit dem Bach jedem Einzelwerk seine charakteristische Eigengestalt gibt, wenn sich auch darüber hinaus große Formzusammenhänge abzeichnen. Manchmal sind es Solokantaten mit meist bescheidenem Instrumentalapparat, wie etwa die bekannte Altkantate „Vergnügte Ruh, beliebte Seelenlust" (BWV 170) oder die ebenso berühmte Baßkantate „Ich habe genug" (BWV 82); in der Mehrzahl der Fälle hat Bach aber dem Chor vielfältige Aufgaben gestellt und damit die neuen Leipziger Darstellungsmittel voll ausgenutzt. Fast jede Kantate schließt mit einem schlicht-vierstimmigen, aber ausdrucksdichten Choralsatz. Dagegen findet man großräumige Chorentfaltung mit allen kompositionstechnischen Mitteln von homophoner Klangballung bis zur vollentwickelten Fuge in vielen prächtigen Eröffnungssätzen, die mit ihrer Einbettung in konzertanten Orchesterklang als wirkliche Chorkonzertsätze dem Leipziger Kantatenwerk das unverkennbare Gepräge geben.

Der protestantische Choral findet dabei in mannigfaltiger Bearbeitungstechnik seinen Platz in der Kantate. Als persönlichste Schöpfung jener Jahre muß man jene Choralkantatenform ansehen, bei der die mittleren Strophen des Kirchenliedes in freier Textparaphrasierung den alternierenden Arien und Rezitativen als Grundlage dienen, während die zwei beibehaltenen Eckstrophen chorisch vertont werden: die erste in einem weitflächigen und vielgliedrigen Chorsatz, bei dem die einzelnen Choralzeilen in geschlossenen Imitationsblöcken zwischen konzertanten Orchesterepisoden durchgeführt werden, die letzte als konzentrierter, schlußpunktsetzender Chorsatz. Bach hat mit dieser Formidee im zweiten Leipziger Amtsjahr einen ganzen Choralkantaten-Jahrgang geschaffen, der in der gesamten Kirchenmusik der Zeit nicht seinesgleichen hat. Er erscheint uns als grandiose Synthese aus traditionsalter Choralgebundenheit und modern-instrumentaler Konzertgesinnung und damit als ein Werkkomplex, an dem Kantor und Kapellmeister gleichen Anteil haben.

Neuer Geist strömt auch in die ehrwürdige Form der Motette, die sich in Bachs Händen zum großen Chorkonzert weitet. Sowohl die fünfstimmige Choralmotette „Jesu, meine Freude" als auch die achtstimmigen Doppelchorwerke „Der Geist hilft unser Schwachheit auf", „Fürchte dich nicht", „Komm, Jesu, komm" sind bestellte Trauermusiken zu Gedächtnisfeiern für angesehene Bürger. Die ebenfalls achtstimmige Jubelmotette „Singet dem Herrn", die später Mozart zum Erlebnis wurde und bis heute zu den beliebtesten Werken Bachs zählt, dürfte dagegen einem freudigen Anlaß ihre Entstehung verdanken. Gerade die Motettenschöpfungen Bachs beweisen, daß es dem Thomaskantor zeitweilig gelungen sein muß, seinen Chor zu Spitzenleistungen zu führen, wie sie noch heute jedem Qualitätschor als Ziel gesetzt sind.

Über seinen eigentlichen Aufgabenbereich als Stadtkantor hinausblickend, hatte sich Bach von Anfang an auch traditionsbegründete Hoffnung auf die Gesamtleitung der Universitätsmusik gemacht, geriet aber mit seinen Honorarforderungen am Jahresende 1725 in Auseinandersetzung mit den Universitätsbehörden, die sich bereits mit dem Nikolaiorganisten Görner arrangiert hatten. Mit der Teillösung eines halben akademischen Dienstverhältnisses nicht zufrieden, kämpfte Bach weiterhin hartnäckig um sein Recht und Honorar, appellierte mehrmals an den sächsischen Kurfürsten und zog sich schließlich nach dessen kompromißhafter Entscheidung in verständlicher Enttäuschung von der Musikpflege der Universität, sehr zu deren Schaden, allmählich zurück. Schon in die Periode des sich lösenden Dienstverhältnisses fällt die Komposition der Trauerode (BWV 198) zu einem akademischen Akt für die verstorbene Kurfürstin Christiane Eberhardine am 17. Oktober 1727. Auch bei diesem Vorhaben, zu dem der Leipziger „Dichterfürst" Johann Christoph Gottsched und der Thomaskantor vom Veranstalter engagiert worden waren, kam es mit dem Universitätsmusikdirektor zu Kompetenzstreitigkeiten, die schließlich nur aus Zeitbedrängnis ohne nachteilige Konsequenzen für Bach blieben. Indes läßt Bachs ergreifende Trauermusik nichts von den Ärgernissen ahnen, die die Entstehungszeit überschattet hatten. Bachs Beziehungen zur Universität waren fortan nicht mehr dienstlicher, sondern nur noch privater Art. Der Sympathie der musizierfreudigen Studenten sicher, übernahm Bach im Frühjahr 1729 ein studentisches Collegium musicum, das einst Telemann als Leipziger Student gegründet hatte, und leitete es, mit einer zweijährigen Unterbrechung, fast anderthalb Jahrzehnte hindurch. Wahrscheinlich hatten sich aber schon in den vorausgehenden sechs Jahren musikinteressierte Studenten um ihn geschart, mit denen er weltliche Gelegenheitswerke zu allerlei Anlässen aufführen konnte, wie etwa 1725 den „Zufriedengestellten Aeolus" (BWV 205) oder 1726 die „Vereinigte Zwietracht" (BWV 207), beide als Glückwunschkantaten für Universitätslehrer. Nun vollzog sich das Musizieren in geregelten Formen, denn das Collegium musicum präsentierte sich der Leipziger Bürgerschaft allwöchentlich zu festgelegten Abendstunden in seinem Stammlokal, dem „Zimmermannischen Kaffeehaus" oder zur Sommerszeit im dazugehörigen Kaffeegarten. Neuere Forschungen haben ergeben, daß es sich hierbei nicht, wie bisher angenommen, um unterhaltsame Gaststättenmusik bei Kaffeetrunk und Tabaksqualm handelte, sondern um ein ernsthaftes Konzertunternehmen, das als organisierte Frühform des bürgerlichen Konzertwesens unmittelbarer Vorläufer der 1743 beginnenden Gewandhaustradition ist. Im Programm dieser Wochenkonzerte standen vermutlich Ouvertüren, Sinfonien, Solokonzerte, Kammermusikwerke, weltliche Kantaten und Arien, von der Hand Bachs oder anderer zeitgenössischer Meister. Wahrscheinlich fanden hier auch Bachs Schüler und ältere Söhne ein weites Betätigungsfeld. Bach selbst dürfte durch diesen regelmäßigen Konzertbetrieb, der ja nicht nur Komponieren und Aufführen, sondern auch Zurichten, Proben und Organisieren einschloß, beträchtlich in Anspruch genommen worden sein. Jedenfalls bedarf die Ansicht von einer amüsanten Nebenbeschäftigung des Thomaskantors, die gegenüber dem kirchlichen Aufgabenbereich kaum ins Gewicht fiel, einer entschiedenen Korrektur. Bachs Arbeit mit dem Collegium musicum stellt sich vielmehr als planvolle Ausweitung seines Tätigkeitsfeldes in Richtung weltlichen Schaffens und kapellmeisterlichen Wirkens Köthener Prägung dar.

In diesen Wirkungskreis fallen die zahlreichen Huldigungskantaten zu staatlichen Gedenktagen oder Geburts- und Namenstagen des sächsischen Herrscherhauses. Als „extraordinaire Concerte" wurden sie der Bevölkerung durch die Tagespresse regelmäßig angekündigt, so etwa in der Mitteilung der „Leipziger Zeitungen" vom 4. 9. 1733: *„Das Bachische Collegium Musicum wird Morgen als den 5. Sept. a. c. im Zimmermannischen Garten vor dem Grimmischen Thore den hohen Geburths-Tag des Durchl. Chur-Prinzen von Sachsen mit einer solennen Musick von Nachmittag 4. bis 6. Uhr unterthänigst celebriren."* Diese Huldigungsmusik, die dem erst dreizehnjährigen Kurprinzen Friedrich Christian galt, ist die Kantate „Hercules auf dem Scheidewege" (BWV 213), die zusammen mit der drei Monate später der Kurfürstin gewidmeten Geburtstagskantate „Tönet,

DRAMA
PER MUSICA,

Welches

Bey dem Allerhöchsten

Geburths = Feste

Der

Allerdurchlauchtigsten und Groß-
mächtigsten

Königin in Pohlen

und

Churfürstin zu Sachsen

in unterthänigster Ehrfurcht

aufgeführet wurde

in dem

COLLEGIO MUSICO

Durch

J. S. B.

Leipzig, dem 8. December 1733.

Gedruckt bey Bernhard Christoph Breitkopf.

Originaltextdruck zur Geburtstagskantate für die sächsische Kurfürstin, 1733 ihr Pauken! erschallet, Trompeten!" (BWV 214) in das 1734 geschaffene Weihnachts-Oratorium eingegangen ist. Mit welchem barocken Gepräge solche Huldigungsmusiken gelegentlich vonstatten gingen, verdeutlicht ein Bericht des Leipziger Chronisten über die Aufführung der heute verschollenen Kantate „Willkommen, ihr herrschenden Götter der Erden" (BWV Anh. 13) vor der zur Ostermesse 1738 anwesenden Königsfamilie: *„Abends um 9. Uhr aber brachten die auf hiesiger Universitet Studirende eine schöne NachtMusique mit vielen WachsFackeln, unter Trompeten und PaukenSchall vor dem Apelischen Hause am Marckte ein unterthänigstes Drama so von dem Herrn Capell-Meister Joh. Sebastian Bachen componieret und aufgeführet wurde."* Sowohl für den Dichter als auch für den Komponisten warfen solche Huldigungskantaten ansehnliche Honorare ab. Während Gottsched hier 12 Taler für seine Dichtung bezog, teilt Bach in seiner Quittung über 58 Taler die Gesamtsumme selbstbewußt auf in: *„50 rthl. vor mich, und 8 rthl. vor die Stad-Pfeifer."* Das aus diesem Dokument ersichtliche Zusammenwirken von Studenten und Stadtmusikern im Rahmen des Collegium musicum muß man auch für Bachs kirchenmusikalische Arbeit als gegeben betrachten.

Als Bach am Karfreitag, dem 14. April 1729, das Monumentalwerk der Matthäus-Passion zur Erstaufführung brachte, stand er nicht nur auf der Höhe seines musikschöpferischen, sondern auch seines musikorganisatorischen Wirkens. Während er im Rahmen seiner riesigen Kantatenproduktion alle musikalischen Gestaltungsmöglichkeiten erprobt hatte, war es ihm auch gelungen, durch engere Beziehungen zur studentischen Musikpflege seinem Aufführungsapparat eine Leistungsfähigkeit zu sichern, die ihn zur Planung eines alle bisherigen Kompositionen übersteigenden Werkes ermutigen konnte. Die Übernahme des Collegium musicum wenige Wochen vor diesem großen Ereignis beleuchtet diese Zusammenhänge. Gegenüber dem fünf Jahre älteren Schwesterwerk nach Johannes haben sich die Proportionen der Matthäus-Passion erheblich geweitet. Die damalige Einchörigkeit der Anlage ist jetzt zu einer konsequent durchgeführten Zweichörigkeit geworden, bei der Vokalchor, Orchester, Continuogruppe und Solistenquartett jeweils einen selbständigen Klangapparat bilden. Die Instrumentation ist reicher geworden, die madrigalischen Sätze haben sich bedeutend vermehrt, der Gesamtumfang hat sich beträchtlich gedehnt. Natürlich ist die unterschiedliche Werkdisposition weitgehend vom biblischen Stoff her bestimmt, denn der Matthäusbericht ist nicht nur äußerlich länger, sondern auch inhaltlich reicher und stimmungsvoller. Während der Johannesbericht mit Judasverrat und Gefangennahme jäh in die Passionsdramatik einspringt, verfügt die Erzählung nach Matthäus mit drei Einleitungsszenen über die Möglichkeit weichen Einschwingens. Indem Bach die Andersartigkeit der Textvorlagen wohl erkannte und durch seine musikalische Gestaltung noch akzentuierte, entstanden zwei vollgültige Ausformungen der Passionsgeschichte von unterschiedlichem Charakter: Realistik, Dramatik, Strenge, Konzentration einerseits — Lyrik, Bildhaftigkeit, stimmungsvolles Verweilen andererseits. In unserem Konzertleben stehen diese beiden kirchenmusikalischen Gipfelwerke schon längst gleichberechtigt nebeneinander.

Es erscheint uns grotesk, daß Bach in dieser Periode künstlerischen Höhenfluges kleinlichen Vorwürfen der Leipziger Behörden ausgesetzt war. Da der Rat in Bach nur den schlechten Schulmann und nicht das schöpferische Genie sah, entstand mit der Zeit eine unerträgliche Spannung, die von administrativer Pedanterie wie von persönlichkeitsbewußter Halsstarrigkeit genährt wurde. Im Sommer 1730 erreichte sie einen kritischen Punkt mit den im Ratsprotokoll festgehaltenen Anschuldigungen, Bach sei nachlässig und unverbesserlich in seiner Amtsführung, halte die Singestunden nicht, es müsse einmal mit ihm brechen, man solle ihm die Besoldung *„verkümmern"*. Bach seinerseits erhob in einem umfassenden Memorandum an den Rat in geschliffener Formulierung Klage über die Mißstände in der Kirchenmusik und die schuldhaften Versäumnisse in der Organisation des schulischen und städtischen Musiklebens. Kurz danach fällte Bach in seinem Brief an Georg Erdmann in Danzig ein hartes Urteil über seine Wirkungsstätte: Es sei eine wunderliche und der Musik wenig ergebene Obrigkeit, die ihm steten Verdruß, Neid und Verfolgung bereite, so daß er genötigt werde, sein Glück anderwärts zu suchen. Und diese Anklage verbindet Bach mit der dringenden Bitte, ihm in Danzig eine *„convenable station"* zu suchen.

Daß das Bach-Kapitel in der Geschichte der Stadt Leipzig nicht schon 1730 — also vor der h-Moll-Messe, dem Weihnachts-Oratorium, der Kaffee- und Bauernkantate, den Goldberg-Variationen, dem Musikalischen Opfer, der Kunst der Fuge — endete, verdankt sie vor allem dem Umstand, daß gerade damals mit Johann Matthias Gesner ein neuer Thomasrektor ans Ruder kam, der als Freund und Bewunderer Bachs manche Spannungen zu mildern und bessere Schaffensbedingungen zu erwirken vermochte. Ein weiterer ernster Konflikt erwuchs jedoch im Sommer 1736 aus einem Kompetenzstreit um die Besetzung eines Präfektenpostens und zog sich, vom Kantor und neuen Rektor unter Einschaltung der Behörden in aller Schärfe geführt, fast zwei Jahre hin, führte zur Lockerung der Schulzucht und endete erst mit dem erbetenen Eintreten des Landesherrn für seinen inzwischen ernannten „Hofcompositeur". Bach hatte nämlich im Juli

ORATORIUM,

Welches

Die heilige Weyhnacht

über

In beyden

Haupt-Kirchen

zu Leipzig

musiciret wurde.

—⚹————————— ⚹—

ANNO 1734.

Titelblatt des Weihnachts-Oratoriums, 1734

1733 mit der Übersendung der Stimmen zum Kyrie und Gloria einer Missa — es waren die Anfangssätze der späteren h-Moll-Messe — den neuen sächsischen Kurfürsten um ein *„Praedicat von Dero Hoff-Capelle"* als Gegengewicht gegen *„ein und andere Bekränckung"* gebeten und diesem Ersuchen durch eine dichte Folge von Huldigungsmusiken für den Dresdner Hof in den Jahren 1733/1734 Nachdruck verliehen. Die ersehnte Ernennung zum „Hofcompositeur", die wahrscheinlich infolge der politischen Verwicklungen in den sächsisch-polnischen Beziehungen erst unter dem Datum des 19. November 1736 erfolgte, hat Bach in den folgenden Jahren als wirkungsvoller Rückhalt in der Auseinandersetzung mit Widersachern gedient.

Das Bild von Bachs künstlerischem Wirken in städtischen, kirchlichen und akademischen Diensten bedarf der Ergänzung durch einen Blick auf den hausmusikalischen Wirkungskreis. Das Musikzimmer in der Kantorwohnung der Thomasschule muß eine Pflegestätte vielfältiger Musikübung gewesen sein. Noch das Nachlaßverzeichnis des Jahres 1750 führt ein reichhaltiges Instrumentarium auf, darunter 6 Klavierinstrumente, 2 Lautenclavicimbel, 10 Streichinstrumente und 1 Laute. Neben der Sopranistin Anna Magdalena und der ihr nacheifernden ältesten Tochter Catharina Dorothea waren wahrscheinlich besonders die ältesten Söhne Wilhelm Friedemann und Carl Philipp Emanuel häufige Musizierpartner des Vaters. Vor allem für sie wird er die zukunftweisenden Konzerte für ein oder mehrere Klaviere als Transkriptionen aus anderen Instrumentalkonzerten geschaffen haben. Unter Beteiligung von fortgeschrittenen Schülern und musizierfreudigen Studenten ließen sich dann gewiß beglückende Hauskonzerte durchführen. Mit stolzen Worten hat Vater Bach über seine talentierte musikalische Familie berichtet: *„Insgesamt aber sind sie gebohrne Musici, u. kan versichern, daß schon* *ein Concert Vocaliter u. Instrumentaliter mit meiner Familie formiren kan, zumahln da meine itzige Frau gar einen sauberen Soprano singet, auch meine älteste Tochter nicht schlimm einschläget.*"

Es konnte nicht ausbleiben, daß das Bachsche Haus ein Anziehungspunkt für einheimische und fremde Besucher wurde. Insbesondere versäumten durchreisende Musiker selten die Gelegenheit, dem berühmten Hofcompositeur ihre respektvolle Aufwartung zu machen und Anregung von seiner Kunstfertigkeit zu erhalten. Bach führte zweifellos ein gastfreundliches Haus, das auch studierenden Verwandten mehrmals auf längere Zeit als Herberge diente. Wenn man außerdem an den großen Schülerkreis und an die freundschaftlichen Beziehungen zur akademischen Jugend denkt, dann versteht man die spätere Mitteilung Carl Philipp Emanuels, daß die Kantorwohnung zeitweilig einem Taubenhause geglichen habe. Beruflicher Umgang ergab sich zu Musikern, Dichtern, Instrumentenbauern, Verlegern, und die Patenliste der Bachschen Kinder, die Namen der höheren Beamtenwelt, der Professorenschaft, der Kaufmannschaft, der Kirche, Schule, Buchhändlerzunft und Anwaltschaft umfaßt, läßt das Bemühen erkennen, menschliche Beziehungen zum gehobenen Bürgertum zu gewinnen. Orgelfugen und Orgelkonzerte, unter anderem in der Dresdner Sophien- und Frauenkirche und in der Kasseler Martinskirche, brachten hohe Ehrungen ein. Als begehrter Verfasser von Huldigungsmusiken gewann Bach Kontakt zu einflußreichen Persönlichkeiten, so etwa 1725 mit der Hochzeitskantate „Auf, süß entzückende Gewalt" zu der Leipziger Rats- und Kaufherrenfamilie von Hohenthal, 1737 mit der Huldigungskantate „Angenehmes Wiederau" (BWV 30a) zu dem Dresdner Hofgünstling Johann Christian von Hennicke, 1742 mit der derb-fröhlichen Bauernkantate (BWV 212) zu dem

Kammerherrn Carl Heinrich von Dieskau, dem Gutsherrn von Kleinzschocher.

Besonders verbunden fühlte er sich mit der sächsischen Residenzstadt Dresden, deren Gesicht gerade damals nicht nur durch das Wirken der genialen Baumeister Daniel Pöppelmann und Georg Bähr, sondern auch durch die glänzenden Leistungen der musikalischen Hofkapelle geprägt wurde. Zu dem berühmten Kapellmeister der Dresdner Oper Johann Adolf Hasse und dessen Frau, einer hervorragenden Sängerin, stand Bach in einem freundschaftlichen Verhältnis, das sich auch in mehreren Besuchen und Gegenbesuchen ausdrückte. Da Dresden zu jener Zeit ein Einfallstor für die moderne italienische Musik war, konnte er deren Errungenschaften auf dem Gebiete des Instrumentalkonzerts kennen lernen und als Anregungen seinem Schaffen nutzbar machen. Wenn Bachs ältester Sohn Wilhelm Friedemann im Juni 1733 das Organistenamt an der Dresdner Sophienkirche erhielt, so haben ihm des Vaters vielfältige Beziehungen zur sächsischen Metropole bestimmt den Weg dorthin geebnet.

In der zweiten Hälfte der Leipziger Schaffensperiode tritt Bachs Wille zum Vollenden, Sammeln, Bewahren in zunehmendem Maße hervor. 24 Präludien und Fugen werden zu einem zweiten Teil des „Wohltemperierten Klaviers" zusammengestellt. 6 Choralbearbeitungen aus Kantaten werden in Orgeltranskription als „Sechs Choräle von verschiedener Art" zu einem Sammelband vereinigt und bei Georg Schübler, Zella, verlegt. 17 ältere Orgelchoräle werden unter Neubearbeitung zu einem Zyklus geordnet und in einem reinschriftlichen Sammelband vereinigt. Zahlreiche Kantaten und die beiden großen Passionen erhalten ihre Endgestalt. Das 1733 dem Kurfürsten dedizierte Kyrie-Gloria-Paar wird zum Monumentalgebilde der h-Moll-Messe geweitet. Schon vorher hatte Bach weitplanend begonnen,

Zweyter Theil

der

Clavier Ubung

bestehend in

einem Concerto nach Italiænischen Gusto

und

einer Overture nach Französischer Art,

vor ein

Clavicymbel mit zweyen

Manualen.

Denen Liebhabern zur Gemüths-Ergötzung verfertiget

von

Johann Sebastian Bach

Hochfürstl: Sæchßl: Weißenfelßl: Capellmeistern

und

Directore Chori Musici Lipsiensis

in Verlegung

Christoph Weigel Junioris

Titelseite zum zweiten Teil der „Clavier Ubung", 1735

durch Stich und Druck einiger seiner instruktiven Tastenmusik-
werke eine größere Verbreitungsmöglichkeit zu sichern. Im Rahmen einer vierteiligen „Clavier-Übung" waren 1731 die sechs
Partiten (BWV 825—830), 1735 das Italienische Konzert (BWV
971) und die „Ouvertüre nach Französischer Art" (BWV 831)
erschienen. 1739 folgte der Sammelband der großen und kleinen
Choralvorspiele *über die Catechismus- und andere Gesaenge*
und schließlich um 1742 bis 1745 mit dem Titel *Aria mit verschiedenen Veraenderungen vors Clavicimbal mit 2 Manualen*
jener riesige Variationszyklus, der als „Goldberg-Variationen"
(BWV 988) Berühmtheit erlangte. Nach Forkels Bericht soll das
Werk vom russischen Gesandten am sächsischen Hofe, Hermann
Carl Graf von Keyserlingk, einem Gönner Bachs, für seinen
hochbegabten Cembalisten Johann Gottlieb Goldberg bestellt
worden sein, damit der Graf *dadurch in seinen schlaflosen
Nächten ein wenig aufgeheitert werden könnte*. Ein weiteres
kunstvolles Variationswerk, die kanonischen Veränderungen
über das Weihnachtslied „Vom Himmel hoch, da komm ich her"
(BWV 769), diente 1747 als Einstand zum Beitritt in die von
Lorenz Mizler gegründete *Societät der musikalischen Wissen-
schafften,* die sich die Erforschung der theoretischen Grundlagen
der Musik zum Ziel gesetzt hatte. Der statutengemäßen Ver-
pflichtung, gleichzeitig für die Bibliothek der Gesellschaft ein
Ölporträt zu liefern, verdanken wir das vom Leipziger Rats-
maler Elias Gottlob Haußmann gefertigte Ölbild, auf dem Bach
ein Notenblatt mit einem sechsstimmigen Tripelkanon dem Be-
schauer präsentiert.

Eine Besuchsreise im Mai 1747, unter Teilnahme Wilhelm
Friedemanns, zur Familie Carl Philipp Emanuels, der als Kam-
mercembalist am preußischen Hofe wirkte, erhielt durch die
Begegnung mit dem Preußenkönig Friedrich II. eine sensationelle

Note. Der flötenspielende und bescheiden komponierende Monarch, der zur Befriedigung seiner musikalischen Liebhaberei eine Anzahl vorzüglicher Künstler in seinem Dienste hielt und mit ihnen abendliche Kammerkonzerte durchführte, empfing den *„berühmten Capellmeister aus Leipzig"* huldvoll und geruhte, *„ohne einige Vorbereitung in eigner höchster Person dem Capellmeister Bach ein Thema vorzuspielen, welches er in einer Fuga ausführen solte. Es geschahe dieses von gemeldetem Capellmeister so glücklich, daß nicht nur Se. Majest. Dero allergnädigstes Wohlgefallen darüber zu bezeigen beliebten, sondern auch die sämtlichen Anwesenden in Verwunderung gesetzt wurden"*. Mit Hinweisen auf ein Orgelkonzert in Potsdam am folgenden Tage und einem nochmaligen Empfang mit Aufforderung des Königs zur Improvisation einer *„Fuga von 6 Stimmen"* schließt die Berichterstattung der damaligen Tageszeitungen. Der Bachbiograph Forkel hat dann 1802 unter Berufung auf den Augenzeugen Wilhelm Friedemann das Potsdamer Intermezzo nochmals in allem Detail geschildert und die Bemerkung angefügt: *„Nach seiner Zurückkunft nach Leipzig arbeitete er das vom König erhaltene Thema 3 und 6stimmig aus, fügte verschiedene kanonische Kunststücke darüber hinzu, ließ es unter dem Titel: Musikalisches Opfer, in Kupfer stechen, und dedicirte es dem Erfinder desselben."* Ein wirkliches „Opfer" bedeutete es wohl auch für den Empfänger, sich in die intrikate Künstlichkeit dieser Kanonkombinationen hineinzudenken, wo sich doch sein Kunstgeschmack vorwiegend an italienischem und französischem Modestil orientiert hatte. Das „Musikalische Opfer" war für Bach nur die Vorstudie für ein noch gewaltigeres Monument polyphonen Musikdenkens: die „Kunst der Fuge". An diesem Werk, in dem er als Quintessenz seines künstlerischen Gesamtschaffens die organische Wandelbarkeit und Kombinationsfähigkeit eines einzigen

Sechsstimmiges Ricercar aus dem Musikalischen Opfer

Themas anschaulich demonstriert, hat Bach gearbeitet, bis ihm die zunehmende Erblindung das Schreiben unmöglich machte. Bei den letzten Noten der unvollständigen Fugenniederschrift finden wir den Vermerk Carl Philipp Emanuels: *„Über dieser Fuge, wo der Nahme B A C H im Contrasubject angebracht worden, ist der Verfaßer gestorben."*

Die zwei letzten Lebensjahre Bachs sind einerseits durch die Freude an der glänzenden musikalischen Entwicklung seines jüngsten Sohnes Johann Christian und an der Verheiratung seiner Tochter Elisabeth Juliana Friederica mit seinem begabten Schüler, dem Naumburger Organisten Johann Christoph Altnickol erhellt, andererseits durch die Bedrohung des fortschreitenden Augenübels, als Folge fortgesetzter Überstrapazierung, überschattet. *„Aus Begierde, Gott und seinem Nächsten, mit seinen übrigen noch sehr muntern Seelen- und Leibeskräften, ferner zu dienen"*, gab er sich in die Hände des renommierten englischen Okulisten John Taylor, der damals auf einer Reise durch Europa begriffen war. Zwei Operationen im März und April 1750 verliefen nicht nur erfolglos, sondern schwächten *„durch hinzugefügte schädliche Medicamente, und Nebendinge"* seinen *„im übrigen überaus gesunden Cörper"* derart, daß er fortan dahinsiechte. Nach einem *„Schlagflusse"* mit darauffolgendem *„hitzigen Fieber"* verstarb er *„ungeachtet aller möglichen Sorgfalt zweyer der geschicktesten Leipziger Aerzte, am 28. Julius 1750, des Abends nach einem Viertel auf 9 Uhr, im sechs und sechzigsten Jahre seines Alters, auf das Verdienst seines Erlösers sanft und seelig"*, wie der Nekrolog berichtet.

Der Rat der Stadt hatte schon längst in übereilter Vorsorge den Nachfolger bestimmt. Mit der Forderung, „die Schule brauche einen Cantorem und keinen Capellmeister", hatte man einem erneuten Experiment, schöpferisches Genie in die Schulstubenengnis einzuzwängen, den Riegel vorgeschoben. Mit vier unmündigen Kindern war die Witwe Anna Magdalena sich selbst überlassen. Der Nachlaß wurde gesetzentsprechend auf sie und die neun überlebenden Kinder aufgeteilt. Der Notenbesitz fiel zum weitaus größten Teil den ältesten Söhnen zu, den Rest verwahrte Anna Magdalena. Zwei Jahre später erhielt sie vom Rat der Stadt *„wegen ihrer Dürfftigkeit, auch einiger überreichten Musicalien"* 40 Taler ausbezahlt.

Inzwischen wurden die Werke des Meisters wenigstens im Schüler- und Freundeskreis als kostbares Vermächtnis in Abschriften von Hand zu Hand gereicht. Wie sich das persönliche Gedenken allmählich zu dem breiten Strom einer umfassenden Bachrenaissance weitete, ist eines der packendsten Kapitel der europäischen Musikgeschichte. Aus dem Dunkel geschichtlicher Vergangenheit ist Bachs Werk in die Tageshelle lebendiger Gegenwart aufgestiegen.

Johann Sebastian Bach, wahrscheinlich in der Köthener Zeit

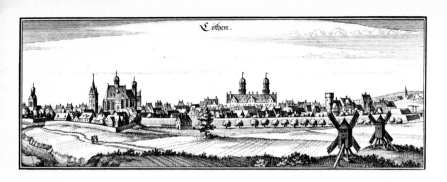

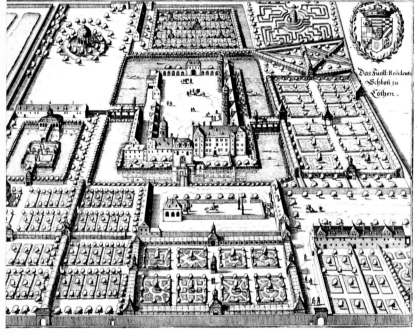

Das Fürstl:Residentz Schloß zu Cöthen.

In der kleinen Residenz Köthen verbrachte Bach fünf glückliche Schaffensjahre

Der Ludwigsbau mit den fürstlichen Gemächern und dem Musiksaal

Fürst Leopold von Anhalt-Köthen, Musikfreund und Gönner Bachs

Die Marckt Kirche zu U. L. Frauen zu Halle.

Eine Berufung an die Hallische Marktkirche schlug Bach aus,
stand aber wenig später als Examinator des Orgelneubaues
zur Verfügung

Die Königl. und Churfürstl. Sächs.
Florirende Kauff = und Handels = Stadt
Leipzig im Prospect.

LIPSIA JUSTITIÆ Pacisqve per oscula Floret
Diese Stadt muß Glück und Heyl genießen,
Wo Friede und Gerechtigkeit sich küßen.

a Vestung Pleissenburg.	**c** St. Thomas Kirche,	**e** Rath = Hauß.	**g** St. Nicolai Kirche.
b St. Peters Kirche,	**d** Neue Kirche,	**f** Pauliner Kirche.	**h** Zucht = und Wäysen = Hauß.

106

Die Thomasschule in der 1732 aufgestockten Form

Die Thomaskirche heute, vom Westen gesehen

Superintendent Salomon Deyling, Bachs kirchlicher Vorgesetzter während der gesamten Leipziger Zeit

Abraham Christoph Plaz, einflußreicher Ratsherr und Bürgermeister

Gottfried Reiche, Senior der Ratsmusiker und hervorragender
Trompeter Bachs

Die Kirche St. Nicolai, Leipziger Hauptkirche und Aufführungsstätte sämtlicher Ratswechselkantaten

111

Christiane Eberhardine, Gemahlin Friedrich Augusts I., zu deren Gedächtnis Bach 1727 die „Trauerode" schrieb und in der Universitätskirche aufführte

Kurfürst Friedrich August II., als König von Polen August III., Widmungsträger weltlicher Huldigungskantaten Bachs

Das „Zimmermannische Caffee-Haus", Tagungsort des „Bachischen Collegium
Musicum" (Haus 2)

113

Die Johannis-Kirche mit Bachs Begräbnisplatz

114

Altarraum der Thomaskirche mit Grabplatte ·

Der heutige Thomanerchor unter Leitung Erhard Mauersbergers

1685	Johann Sebastian Bach in Eisenach geboren (21. 3.)
1693—1695	Besuch der Lateinschule in Eisenach
1694	Begräbnis der Mutter Elisabeth geb. Lämmerhirt (3. 5.)
	Wiederverheiratung des Vaters Joh. Ambrosius (27. 11.)
1695	Begräbnis des Vaters (24. 2.)
1695—1700	Aufenthalt bei Johann Christoph Bach in Ohrdruf, Besuch des Gymnasiums
1700—1702	Mitglied des Mettenchores der Michaelisschule in Lüneburg
1702	Anwärter für die Jakobi-Orgel in Sangerhausen (Juli?)
1703	Als Violinist im Kammerorchester des Herzogs Johann Ernst von Sachsen-Weimar (März—September)
	Orgelprüfung in der Neuen Kirche in Arnstadt (Juli)
	Bestallung als Organist an der Neuen Kirche in Arnstadt (9. 8.)
1704	Capriccio B-Dur zur Abreise des Bruders Johann Jacob
1705	3- bis 4monatige Reise zu Dietrich Buxtehude nach Lübeck (Jahresende)
1706	Verhör vor dem Arnstädter Konsistorium (21. 2. und (11. 11.)
	Orgelprüfung in Langewiesen (28. 11.)
1707	Bestallung als Organist an Divi Blasii in Mühlhausen (15. 6.)
	Trauung mit der Base Maria Barbara Bach in Dornheim (17. 10.)
1708	Aufführung der Ratswechselkantate BWV 71 (4. 2.)
	Abschiedsgesuch an den Rat der Stadt Mühlhausen (25. 6.)
	Dienstantritt als Kammermusicus und Hoforganist bei Herzog Wilhelm Ernst von Sachsen-Weimar (Juli)
1709	Aufführung einer zweiten Ratswechselkantate in Mühlhausen (Februar)
1710	Orgelprüfung in Taubach (26. 10.)
1712	Pate bei Johann Gottfried Walther d. J. (29. 9.)
1713	Aufenthalt am Hof zu Weißenfels (Februar)

	Ruf an die Orgel der Liebfrauenkirche in Halle (14. 12.)
1714	Ernennung zum Konzertmeister am Weimarer Hof (2. 3.)
1716	Orgelprüfung in der Liebfrauenkirche in Halle (29. 4. bis 2. 5.)
	Gutachten über die Orgel der Augustinerkirche in Erfurt (31. 7.)
1717	Berufung als Hofkapellmeister Fürst Leopolds von Anhalt-Köthen (5. 8.)
	Reise nach Dresden, Wettstreit mit Louis Marchand (Herbst)
	Arretierung in Weimar (6. 11.—2. 12.)
	Entlassung aus den Diensten des Herzogs Wilhelm Ernst (2. 12.)
	Orgelprüfung in der Paulinerkirche in Leipzig (16. 12.)
1718	Reise mit Fürst Leopold nach Karlsbad (Mai—Juni)
1720	Klavierbüchlein für Wilhelm Friedemann Bach angefangen (22. 1.)
	Reise mit Fürst Leopold nach Karlsbad (Mai—Juli)
	Begräbnis von Maria Barbara (7. 7.)
	Reise nach Hamburg, Mitbewerbung um die Jakobi-Orgel (November)
1721	Widmung der Brandenburgischen Konzerte an Markgraf Christian Ludwig von Brandenburg (24. 3.)
	Verheiratung mit Anna Magdalena Wilcke (3. 12.)
1722	Das erste Notenbuch für Anna Magdalena Bach
	Das Wohltemperierte Klavier, Teil I
	Mitbewerbung um das Leipziger Thomaskantorat (Dezember)
1723	Inventionen und Sinfonien
	Kantoratsprobe in Leipzig (7. 2.)
	Entlassung aus den Diensten des Fürsten Leopold (13. 4.)
	Wahl zum Thomaskantor (22. 4.)
	Endgültiger Anstellungsrevers für das Thomaskantorat (5. 5.)
	Umzug nach Leipzig (22. 5.)
	Antrittsmusik in der Nikolaikirche (30. 5.)
	Amtseinweisung in der Thomasschule (1. 6.)

	Orgelprüfung in Störmthal (2. 11.)
1724	Orgelprüfung in der Johanniskirche in Gera (25. 6.)
1725	Das zweite Notenbuch für Anna Magdalena Bach
	Aufführung der Kantate BWV 249a zum Geburtstag des Herzogs Christian von Sachsen-Weißenfels (23. 2.)
	Aufführung der Kantate BWV 205 zum Namenstag des Universitätsprofessors August Friedrich Müller (3. 8.)
	Konzerte auf der Silbermannorgel in der Sophienkirche in Dresden (19.—20. 9.)
1726	Aufführung der Kantate BWV 249b zum Geburtstag des Grafen Joachim Friedrich von Flemming (25. 8.)
	Aufführung der Kantate BWV 207 zum Professurantritt von Dr. Gottlieb Kortte (um 11. 12.)
1727	Aufführung der Trauerode BWV 198 zum Trauerakt für Kurfürstin Christiane Eberhardine von Sachsen (17. 10.)
1729	Teilnahme an den Geburtstagsfeierlichkeiten für Herzog Christian von Sachsen-Weißenfels (23. 2.)
	Aufführung der Trauerkantate BWV 244a für Fürst Leopold in Köthen (24. 3.)
	Aufführung der Matthäus-Passion in der Thomaskirche (15. 4.)
	Aufführung der Motette BWV 226 zur Beerdigung des Thomasschulrektors Johann Heinrich Ernesti (20. 10.)
1730	Aufführung von 3 Kantaten zum 200. Jahrestag der Augsburger Konfession (25.—27. 6.)
	Entwurf einer wohlbestallten Kirchenmusik (23. 8.)
	Brief an den Jugendfreund Georg Erdmann in Danzig (28. 10.)
1731	Klavierübung, Teil I
	Aufführung der Markus-Passion in der Thomaskirche (23. 3.)
	Umbau der Thomasschule (Mai—April 1732)
	Vorübergehende Wohnung in der Hainstraße (Juni bis April 1732)
	Aufführung der Ratswechselkantate BWV 29 (27. 8.)
	Konzerte auf der Silbermannorgel in der Sophienkirche und am Hof in Dresden (zwischen 14. und 21. 9.)

1732	Orgelprüfung in Stöntzsch (4. 2.)
	Aufführung der Kantate BWV Anh. 18 zur Einweihung der umgebauten Thomasschule (5. 6.)
	Orgelprüfung in der Martinskirche in Kassel (21.—28. 9.)
1733	Überreichung der Missa BWV 232 an Kurfürst Friedrich August II. (27. 7.)
	Aufführung der Kantate BWV 213 zum Geburtstag des Kurprinzen Friedrich Christian (5. 9.)
	Aufführung der Kantate BWV 214 zum Geburtstag der Kurfürstin Maria Josepha (8. 12.)
1734	Aufführung der Kantate BWV 205a zur Krönung des Kurfürsten Friedrich August II. zum König von Polen (19. 2.)
	Aufführung der Kantate BWV 215 zum Jahrestag der Königswahl (5. 10.)
	Aufführung der Kantate BWV Anh. 19 zur Einweisung des Thomasschulrektors Johann August Ernesti (21. 11.)
1734—1735	Aufführung der sechs Teile des Weihnachts-Oratoriums (25. 12.—6. 1.)
1735	Reise mit Johann Gottfried Bernhard nach Mühlhausen (Juni)
1736	Beginn des „Präfektenstreits" (August)
	Ernennung zum kurfürstlich-sächsischen Hofcompositeur (19. 11.)
	Konzert auf der Silbermannorgel in der Frauenkirche in Dresden (1. 12.)
1737	Reise nach Sangerhausen (Mai?)
	Aufführung der Kantate BWV 30a als Huldigung für Johann Christian von Hennicke in Wiederau (28. 9.)
1738	Aufführung der Kantate BWV Anh. 13 als Huldigung für die kurfürstliche Familie (28. 4.)
	Reise nach Dresden (Mai)
1739	Orgelspiel in der Schloßkirche in Altenburg (September)
1741	Reise nach Berlin zu Carl Philipp Emanuel (August)
	Reise nach Dresden (November)
1742	Aufführung der Bauernkantate BWV 212 als Huldigung für Carl Heinrich von Dieskau in Kleinzschocher (30. 8.)

1743	Orgelprüfung in der Johanniskirche in Leipzig (Dezemb.)
1744	Das Wohltemperierte Klavier, Teil II
1746	Orgelprüfung in Zschortau (7. 8.)
	Orgelprüfung in der Wenzelskirche in Naumburg (26.—27. 9.)
1747	Besuch am Hof des Königs Friedrich II. von Preußen in Potsdam (7.—8. 5.)
	Mitglied der „Sozietät der musikalischen Wissenschaften" (Juni)
	Widmung des Musikalischen Opfers an König Friedrich II. von Preußen (7. 7.)
1750	Zwei Augenoperationen durch den englischen Oculisten John Taylor (März—April)
	Tod Johann Sebastian Bachs (28. 7.)
	Begräbnis auf dem Johannisfriedhof (30. oder 31. 7.)

[1] Die Lebensdaten der Kinder J. S. Bachs sind in der Übersicht „Die Familie Johann Sebastian Bachs" enthalten.

Maria Barbara Bach
× 20. 10. 1684 ∞ 17. 10. 1707 ☐ 7. 7. 1720
       Catharina Dorothea
       ∞ 29. 12. 1708 † 14. 1. 1774
       Wilhelm Friedemann
       × 22. 11. 1710 † 1. 7. 1784
       Maria Sophia
       × 23. 2. 1713 ☐ 15. 3. 1713
       Johann Christoph
       × 23. 2. 1713 † 23. 2. 1713 (?)
       Carl Philipp Emanuel
       × 8. 3. 1714 ∞ Anfang 1744 (Johanna Maria Dannemann)
       † 14. 12. 1788   (∞ 12. 10. 1724 † 19./20. 7. 1795)
              Johann August
              ∞ 10. 12. 1745 † 25. 4. 1789
              Anna Carolina Philippina
              × 4. 9. 1747 † 2. 8. 1804
              Johann Sebastian
              ∞ 26. 11. 1748 † 11. 9. 1778
       Johann Gottfried Bernhard
       × 11. 5. 1715 † 27. 5. 1739
       Leopold Augustus
       × 15. 11. 1718 ☐ 28. 9. 1719

Anna Magdalena Wilcke
× 22. 9. 1701 ∞ 3. 12. 1721 † 27. 2. 1760
       Christiana Sophia Henrietta
       × Frühjahr 1723 † 29. 6. 1726
       Gottfried Heinrich
       × 26. 2. 1724 ☐ 12. 2. 1763
       Christian Gottlieb
       ∞ 14. 4. 1725 † 21. 9. 1728

Elisabeth Juliana Friederica
∾ 5. 4. 1726 ∞ 20. 1. 1749 (Johann Christoph Altnickol)
† 24. 8. 1781   (∾ 1. 1. 1720 ☐ 25. 7. 1759)
     Johann Sebastian
      × 4. 10. 1749 ☐ 21. 12. 1749
Ernestus Andreas
∾ 30. 10. 1727 † 1. 11. 1727
Regina Johanna
∾ 10. 10. 1728 † 25. 4. 1733
Christiana Benedicta
∾ 1. 1. 1730 † 4. 1. 1730
Christiana Dorothea
∾ 18. 3. 1731 † 31. 8. 1732
Johann Christoph Friedrich
× 21. 6. 1732 † 26. 1. 1795
Johann August Abraham
∾ 5. 11. 1733 † 6. 11. 1733
Johann Christian
× 5. 9. 1735 † 1. 1. 1782
Johanna Carolina
∾ 30. 10. 1737 † 18. 8. 1781
Regina Susanna
∾ 22. 2. 1742 † 14. 12. 1809

---

[1] Aufgenommen sind nur die zu Bachs Lebzeiten geborenen Nachkommen
× = geboren, ∾ = getauft, ∞ = verehelicht, † = gestorben, ☐ = begraben

WERKAUSGABEN UND LITERATUR IN AUSWAHL

Gesamtausgaben

Johann Sebastian Bach's Werke. Hrsg. von der Bachgesellschaft zu Leipzig. 47 Jahrgänge, 61 Bände. Leipzig 1851—1899.
Johann Sebastian Bach. Neue Ausgabe sämtlicher Werke. Hrsg. vom Johann-Sebastian-Bach-Institut Göttingen und vom Bach-Archiv Leipzig. Leipzig und Kassel 1954 ff.

Werkverzeichnisse, Handbücher

Thematisch-systematisches Verzeichnis der musikalischen Werke von Johann Sebastian Bach. Bach-Werke-Verzeichnis (BWV). Hrsg. von Wolfgang Schmieder. Leipzig 1950 u. ö.
Werner Neumann, Handbuch der Kantaten Johann Sebastian Bachs. Leipzig 1947, [2]1953, [3]1967, [4]1971.
Johann Sebastian Bach. Sämtliche Kantatentexte, hrsg. von Werner Neumann. Leipzig 1956, [2]1967.
Johann Sebastian Bach. Sämtliche Texte seiner Werke, hrsg. von Werner Neumann. Leipzig (in Herstellung).
Alfred Dürr, Zur Chronologie der Leipziger Vokalwerke J. S. Bachs (Bach-Jahrbuch 1957). Leipzig 1957.
Georg von Dadelsen, Beiträge zur Chronologie der Werke Johann Sebastian Bachs (Tübinger Bach-Studien Heft 4/5). Trossingen 1958.

Bach-Jahrbuch

Hrsg. von (bzw. im Auftrag) der Neuen Bachgesellschaft 1904 ff. (1907—1939 A. Schering, 1940—1952 M. Schneider, 1953 ff. A. Dürr, W. Neumann). Leipzig 1904—1950, Berlin ab 1953.

Dokumente und Faksimile-Ausgaben

Bach-Dokumente. Hrsg. vom Bach-Archiv Leipzig. Band I Schriftstücke von der Hand Johann Sebastian Bachs. Leipzig und Kassel 1963. — Band II Fremdschriftliche und gedruckte Dokumente zur Lebensgeschichte Johann Sebastian Bachs. Leipzig und Kassel 1969 (Vorgelegt und erläutert von W. Neumann, H.-J. Schulze).

Faksimile-Reihe Bachscher Werke und Schriftstücke, hrsg. vom Bach-Archiv Leipzig. Leipzig 1955 ff. Bd. 1 Entwurf einer wohlbestallten Kirchenmusik vom 23. 8. 1730 — Bd. 2 Kantate BWV 14, Stimmensatz — Bd. 3 Brief an G. Erdmann vom 28. 10. 1730 — Bd. 4 Flötensonate h-Moll, BWV 1030 — Bd. 5 Wohltemperiertes Klavier I — Bd. 6 Vier Eingaben an den Rat der Stadt Leipzig — Bd. 7 Matthäus-Passion — Bd. 8 Hochzeitskantate BWV 210 — Bd. 9 Ratswechselkantate 1708 BWV 71 — Bd. 10 Kaffeekantate BWV 211.

Einzelne Faksimile-Ausgaben:

Sei Solo a Violino da Joh. Seb. Bach, hrsg. von Wilhelm Martin Luther. Kassel 1950.
Inventionen und Sinfonien. Faksimile nach der im Besitz der Preußischen Staatsbibliothek in Berlin befindlichen Urschrift. Leipzig 1950.
Singet dem Herrn ein neues Lied. Motette für zwei Chöre. Faksimile nach dem Autograph. Kassel 1958.

Clavier-Büchlein vor Wilhelm Friedemann Bach. Edited in Facsimile with a preface by Ralph Kirkpatrick. New Haven 1959.

Weihnachts-Oratorium. BWV 248. Faksimile-Lichtdruck des Autographs mit einem Nachwort, hrsg. von Alfred Dürr. Kassel 1960.

Brandenburgische Konzerte. Faksimile nach dem im Besitz der Deutschen Staatsbibliothek in Berlin befindlichen Autograph. Leipzig 1960.

Der Geist hilft unser Schwachheit auf. Motette BWV 226. Faksimile-Lichtdruck des Autographs mit einem Nachwort, hrsg. von Konrad Ameln. Kassel 1964.

Messe in h-Moll, BWV 232, hrsg. von Alfred Dürr. Kassel.

Biographien und lebensgeschichtliche Teildarstellungen

Johann Nikolaus Forkel, Ueber Johann Sebastian Bachs Leben, Kunst und Kunstwerke. Für patriotische Verehrer echter musikalischer Kunst. Leipzig 1802.

Philipp Spitta, Johann Sebastian Bach, Bd. I, Leipzig 1873, Bd. II, Leipzig 1880.

Albert Schweitzer, J. S. Bach. Leipzig 1908 u. ö.

Charles Sanford Terry, Johann Sebastian Bach. Eine Biographie, übertragen von Alice Klengel, Geleitwort von Karl Straube. Berlin 1929.

Arnold Schering, Johann Sebastian Bach und das Musikleben Leipzigs im 18. Jahrhundert, Musikgeschichte Bd. III. Leipzig 1941.

Friedrich Blume, Artikel Johann Sebastian Bach, in: Die Musik in Geschichte und Gegenwart. Kassel 1949 ff.

Johann Sebastian Bach in Thüringen. Festgabe zum Gedenkjahr 1950, hrsg. von Heinrich Besseler und Günther Kraft. Weimar 1950.

Walther Vetter, Der Kapellmeister Bach. Versuch einer Deutung Bachs auf Grund seines Wirkens als Kapellmeister in Köthen. Potsdam 1950.
Friedrich Smend, Bach in Köthen. Berlin 1951.

Werner Neumann, Auf den Lebenswegen Johann Sebastian Bachs. Berlin 1953 u. ö.

Karl Geiringer, Die Musikerfamilie Bach. Leben und Wirken in drei Jahrhunderten. München 1958.

Monographien über Werkgruppen

Friedrich Smend, Joh. Seb. Bach. Kirchenkantaten, Heft I—VI. Berlin-Dahlem 1947—1949.

Hermann Keller, Die Orgelwerke Bachs. Ein Beitrag zu ihrer Geschichte, Form, Deutung und Wiedergabe. Leipzig 1948.

Hermann Keller, Die Klavierwerke Bachs. Ein Beitrag zu ihrer Geschichte, Form, Deutung und Wiedergabe. Leipzig 1950.

Alfred Dürr, Studien über die frühen Kantaten J. S. Bachs. Leipzig 1951.

Hans Eppstein, Studien über J. S. Bachs Sonaten für ein Melodieinstrument und obligates Cembalo. Uppsala 1966.

Die im Text kursiv wiedergegebenen Quellenzitate und Titel bewahren die originale Schreibweise, während stehend gesetzte Anführungen bisweilen eine leicht modernisierte Lesart bieten.

BILDNACHWEIS

127